# VOYAGE DANS LA LUNE

CYRANO DE BERGERAC

# VOYAGE
# DANS LA LUNE

(L'Autre Monde
ou
Les États et Empires de la Lune)

*Chronologie et introduction*
*par*
Maurice Laugaa

GF-Flammarion

# CHRONOLOGIE

**1619** : Naissance de Savinien de Cyrano, rue des Deux-Portes à Paris, dans la paroisse Saint-Sauveur, fils d'Abel de Cyrano, bourgeois, avocat au Parlement, et d'Espérance Bellanger. Abel de Cyrano ayant hérité des fiefs de Mauvières et de Bergerac, non loin de Chevreuse, s'intitule écuyer et seigneur de Mauvières. Savinien, baptisé le 6 mars 1619, a pour parrain Antoine Fanny, conseiller du roi et auditeur en sa chambre des comptes, et pour marraine, Marie Feydeau, femme de Louis Perrot, conseiller et secrétaire du roi.

**1622** : Savinien vit auprès de ses parents au château de Mauvières; quelques années plus tard, il est confié comme pensionnaire à un curé de campagne qui doit lui apprendre à lire. D'après H. Lebret, l'entente ne règne pas entre le maître et son élève.

**1632** : Savinien étudie au collège de Dormans-Beauvais, en plein quartier latin, rue Saint-Jean-de-Beauvais, alors appelée rue du Clos-Bruneau. Le principal de ce collège est Jean Grangier, érudit et pédagogue connu. Mort en 1643, il ne connaîtra pas la comédie du *Pédant joué*, dans laquelle Cyrano représente un « vieux rat de collège », « chiche », « avare », « sordide », etc., du nom de Granger. Jean Grangier, auteur de panégyriques, d'oraisons funèbres en langue latine, a composé un *Etat du collège de Dormans, dit de Beauvais*, en français (1628). Il a sujet de se plaindre des étudiants parisiens : « Non contents de venir tous les soirs devant le collège de Beauvais vomir furieusement tout ce que le vin et le venin de rancune leur mettait en bouche, ils fracassèrent plusieurs fois mes vitres à grands coups de pierre (et attentèrent sur ma

personne). » Les voisins, sur sa demande, se jettent
« un soir sur une brigade de ces brigands », « avec tel
succès qu'aucuns d'eux furent blessés, les autres pris,
et le reste eut tel épouvante qu'ils délogèrent bien
vite ». Du coup, « la discipline scholastique, ou for-
tifiée, ou établie de nouveau par mes lois, qui sont
pour la plupart celles dont usait l'ancienne Université,
prenait un assez bon train ». Par ailleurs Grangier est
un bâtisseur, il cherche à augmenter les recettes, et à
« mettre en vogue la maison », mais il se heurte déci-
dément à la mauvaise volonté des enseignants et des
étudiants : « Les pédagogues et précepteurs pour la
plupart ne sont assez soigneux d'empêcher que leurs
pensionnaires regardent oisivement par les fenêtres
qui sont sur les rues, et jettent de l'eau ou des pierres
sur les passants; ... pour les écoliers pensionnaires, ils
étudient le moins qu'ils peuvent, et le plus que nous
pouvons pour les deux tiers; l'autre tiers qui prête
l'oreille à nos enseignements, et a le courage de les
mettre en exécution, se forme très bien ès bonnes
lettres, ès mœurs chrétiennes, et en la civilité et
accortise. »

**1636** : Abel de Cyrano, père de Savinien, vend les terres
et seigneuries de Mauvières et de Bergerac.

**1638** : Ses études achevées, Savinien joue et fréquente
les tavernes. Il ajoute à son nom (de Cyrano) celui
d'une terre ayant appartenu à ses parents : de Bergerac. Dès cette époque, il aime varier ses signatures,
en substituant à son prénom celui d'Hercule ou
d'Alexandre, ou en combinant son nom de famille et
ses noms imaginaires (Alexandre de Cyrano Bergerac,
Hercule de Bergerac, de Bergerac, de Bergerac Cyrano,
de Cyrano de Bergerac, Savinien de Cyrano, et aussi,
plus tardif, l'anagramme Dyrcona dans les *Etats et
empires du Soleil*).

**1639** : Savinien s'engage avec son ami H. Lebret dans
la compagnie des Gardes, commandée par M. de
Carbon, et composée surtout de gentilshommes gas-
cons. Il passe vite pour un redoutable bretteur. Il est
surnommé le « Démon de la bravoure » par ses cama-
rades.

**1639** Juin : Blessé au siège de Mouzon.

**1640** : Il reçoit un coup d'épée à la gorge au siège d'Arras
et quitte la carrière militaire.

**1641** : De retour à Paris, Cyrano prend des leçons d'escrime et de danse et suit l'enseignement du philosophe Gassendi, précepteur du jeune Chapelle. Ses contemporains lui attribuent diverses prouesses, retentissantes ou burlesques : Cyrano mettant en fuite cent hommes près de la porte de Nesles, Cyrano embrochant le singe de Brioché, Fagotin. La transformation de Cyrano en personnage de fiction commence de son vivant.

Dès cette époque il semble avoir vécu dans la gêne. Il a pour amis Tristan L'Hermite, d'Assoucy, Scarron, Chapelle, Bernier. Un témoignage tardif de Boileau à Brossette (« Molière aimait Cyrano ») laisse supposer que les deux écrivains se connaissaient.

**1645** ou **1646** : date probable de la composition du *Pédant joué*, comédie.

**1648,** 18 janvier : Mort du père de Cyrano; celui-ci assiste à l'enterrement le 20 janvier 1648, dans l'Eglise Saint-Jacques-du-Haut-Pas. Certaines déclarations du mourant laissent penser que ses deux fils, Savinien et Abel, ont profité de sa maladie pour s'emparer de divers objets de valeur : « On a forcé les serrures des armoires et coffres où étaient lesdites choses et attendu qu'il sait par quelles personnes lesdites choses lui ont été soustraites, les noms desquelles il ne veut être exprimés pour certaines considérations, il en décharge entièrement ladite Descourtieux et tous autres. » L'exécuteur nous fait un récit touchant des larmes paternelles : (celui-ci) « lui fit un si ample discours entrecoupé de larmes et de sanglots sur ses affaires domestiques et plusieurs secrets intérieurs qui le travaillaient que véritablement il aurait fallu être inhumain de ne pas admirer... la force de son naturel envers tous ceux qui l'avaient offensé. »

Pendant deux mois, les deux fils s'installent dans la maison et vivent sur la succession. Savinien touche sa part des rentes familiales; le capital (10.450 livres) sera vite dilapidé.

Cette même année, il n'assiste pas au mariage de son frère.

**1648** : Cyrano écrit pour son ami Dassoucy une épître-préface à son poème *Le Jugement de Pâris*.

Début de la Fronde. Cyrano, dans un premier temps, prend parti contre le cardinal Mazarin.

**1649** : Publication du *Ministre d'Etat flambé* signé D. B. (attribution probable) et de divers écrits de circonstances.

**1650** : Cyrano dès cette époque est connu comme l'auteur de *L'Autre Monde*.

**1651** : *La Lettre contre les Frondeurs* prend la défense de Mazarin, et fait l'éloge de la monarchie absolue. Cette même année, il se brouille avec ses anciens amis, d'Assoucy, Scarron, Chapelle.

**1652** : Cyrano, qui cherche un protecteur, entre au service du duc d'Arpajon.

**1653** : Représentation de la *Mort d'Agrippine*, tragédie. Selon Tallemant, Guéret et le *Menagiana*, un scandale éclate, prenant pour prétexte cette réplique de Séjan : « Frappons, voilà l'Hostie » (la victime). Cyrano est accusé d'athéisme.

**1654** : Publication des *Œuvres diverses* à Paris, chez C. de Sercy, contenant les *Lettres* et *Le Pédant joué*. Cette même année, publication de la *Mort d'Agrippine*, chez le même éditeur.

**1654** : Cyrano est victime d'un accident : une poutre lui tombe sur la tête. Le duc d'Arpajon lui retire sa confiance. Il doit déménager.

**1655,** 28 juillet : Mort de Cyrano à Sannois chez son cousin Pierre de Cyrano. Le curé de Sannois, dans le certificat de décès, déclare que Cyrano est mort « en bon chrétien ».

**1657** : Publication de l'*Histoire comique*, édition remaniée et expurgée de *L'Autre Monde*, par les soins de son ami Henri Lebret. La préface fournit diverses indications sur la vie de Cyrano.

**1662** : Publication des *Nouvelles Œuvres*, contenant l'*Histoire comique des Etats et Empires du Soleil et autres pièces diverses*, chez C. de Sercy.

**1838** : Charles Nodier, dans le *Bulletin du bibliophile* célèbre Cyrano.

**1844** : La notice de Théophile Gautier dans les *Grotesques* est encore plus élogieuse.

**1855** : Edition des œuvres, par Paul Lacroix.

**1890,** 29 avril : Deux manuscrits de Cyrano (*L'Autre Monde*, les *Lettres*) et *Le Pédant joué* entrent à la bibliothèque nationale. (Cote des manuscrits : Fr. nouv. acq. 4557 et 4558.)

**1897 :** Triomphe de la pièce d'Edmond Rostand, *Cyrano de Bergerac*.

**1908 :** Remy de Gourmont dans une édition de morceaux choisis de Cyrano publie les passages les plus importants du manuscrit, qui avaient été supprimés par Lebret.

**1910 :** Publication intégrale, à Dresde, d'un manuscrit de *L'Autre Monde*, dit manuscrit de Munich, par Léo Jordan.

**1921 :** Le texte intégral du manuscrit de Paris est publié par F. Lachèvre.

# INTRODUCTION

En 1657, paraît l'*Histoire comique contenant les Etats et Empires de la lune.* Cyrano est mort depuis deux ans, et son pieux ami, Henri Lebret, a pris soin d'expurger le texte original de ses passages les plus scandaleux. Grâce à deux manuscrits, conservés à Paris et à Munich, nous connaissons, à quelques variantes près, le texte authentique, sous son titre véritable : *L'Autre Monde ou les Etats et Empires de la lune.* N'imaginons pas pourtant qu'une fois restitué dans son intégralité, il ne conserve pas les traces de ces mutilations. Une censure amicale est d'autant plus redoutable qu'elle témoigne de la proximité du mal. L'écrivain, guetté par ses proches, est l'objet d'un pieux commerce ; et la disparition du manuscrit des *Etats et Empires du soleil*, qui fait suite à *L'Autre Monde*, prouve la virulence de la menace. Le métier des lettres, soumis à divers chantages, et grimaces, n'est pas exempt de tout risque ; peut-être y a-t-il justement là quelque chose qui nous fascine ; qu'un livre si éclatant soit lui-même recouvert de précautions muettes ; que le brillant de sa surface protège avec une telle rigueur les discours audacieux dont il est détenteur. Une lecture de *L'Autre Monde*, qui prendrait prétexte de la reconstitution tardive et récente du texte intégral, pour passer sous silence le désir de rendre anodin le scandale qui s'y inscrit, rejoindrait les malversations des premiers éditeurs. Cette erreur initiale a eu plusieurs conséquences. Dans un souci légitime de rectifier les injustices anciennes, on a mis l'accent sur l'apport de Cyrano à la pensée matérialiste de son temps ; on l'a désigné comme un précurseur des philosophes des lumières, voire du marquis de Sade. Plus récemment, les affinités avec l'univers magique, les jeux de la fantaisie ont fait l'objet de recherches distinctes.

Il reste encore à chercher le secret de cette alliance entre
la fiction et la théorie, il reste à lire, sans les scinder en
deux mondes incompatibles ni les confondre hâtive-
ment, les aventures du voyageur et les aventures de
l'atome ; comme si Gulliver et les Lilliputiens se rencon-
traient déjà, dans les récits et les discours des narrateurs
de *L'Autre Monde*.

Ce qu'on appelle parfois l'agressivité de Cyrano, sen-
sible, on le verra, surtout dans ses *Lettres*, n'est peut-être
rien d'autre que le signe inscrit dans son écriture d'une
menace pesant sur cet acte même. Du pamphlétaire au
voyageur interplanétaire, une même provocation est à
l'œuvre, incitant l'adversaire à se démasquer, et à
répondre, lisant par avance les invisibles ratures dont
tout lecteur bien-pensant parsème le texte qu'il injurie,
du fond de son incompréhension silencieuse. Bien plus,
il est certain que *L'Autre Monde* a été écrit dans ce climat
de méfiance et de ruse, où l'écrivain n'est pas seulement
guetté par ses censeurs, mais par sa propre prudence,
par tous les compromis passés avec l'ennemi. De ce
combat le texte a gardé les traces ; il est possible de suivre
tout au long du récit cette comédie de la colère et de la
prudence, et ce n'est pas un des moindres plaisirs de la
lecture que cette recherche dans l'œuvre des conditions
mêmes dans lesquelles l'œuvre a été produite. Le narrateur guetté en Nouvelle France par les pères Jésuites
qui le soupçonnent de magie est bientôt expulsé du Paradis lunaire par le prophète Elie, exaspéré des sarcasmes
irréligieux de son interlocuteur. C'est pour se retrouver
enfermé et regardé comme une bête curieuse par les
habitants d'un Royaume où les bipèdes sont tenus pour
d'étranges animaux. Et le récit s'achève sur un spectacu-
laire enlèvement. Un jeune athée, dont les propos
choquent le démon de Socrate par leur matérialisme
radical, est emporté par un grand homme noir tout
velu, à travers le ciel, jusqu'en enfer. Si le narrateur
profite de ce moyen de locomotion pour rejoindre son
pays d'origine, le nôtre, on notera que sa première inten-
tion n'est pas d'abandonner si tôt ses hôtes. C'est en voulant arracher son malheureux compagnon « des griffes
de l'Ethiopien » qu'il est enlevé à travers l'espace. L'ana-
logie est trop frappante pour n'être pas concertée, entre
le retour sur terre et le décollage. La machine spatiale,
mise à feu par des soldats imprudents sur la place de
Québec, a bien été construite pour un voyage vers la

lune, mais c'est par accident qu'à ce moment précis, le départ est donné, c'est en voulant la préserver de toute destruction que son inventeur inaugure son voyage solitaire. Ainsi le désir de lune et le désir d'hérésie ne naissent pas d'une décision individuelle et fortuite, comme le laisserait entendre la désinvolture narquoise des premières pages ; comme tend à l'affirmer l'Institution bafouée, excluant ses victimes. Partout se reforme dans une société un désir d'expulser les membres qui la menacent dans son intégrité, et le mouvement qui pousse le voyageur hors de sa sphère d'origine, loin d'être seulement le produit d'une technicité ou d'une science, correspond très exactement aux deux valeurs du mot évasion, quitter un lieu où l'on est prisonnier, rejoindre un espace où l'on devient libre. Au-delà d'une aventure individuelle, on devine la pression brutale du corps social, les manœuvres et les intrigues des bien-pensants, dont l'effet s'inscrit dans le travail de l'écrivain. Les grimaces et les culbutes auxquelles est contraint le narrateur pris pour « la femelle du petit animal de la reine », ses brusques accès de timidité ou d'hypocrisie, ses objections aux propositions les plus hardies sur l'(in)existence de Dieu, décrivent pour nous assez précisément quelles représentations, quelles contraintes pesaient sur un écrivain capable de toutes les audaces, à l'époque de la Fronde, sous le gouvernement de Mazarin (et de la reine). C'est sans doute ce qui donne à ce texte « bouffon » sa sourde gravité, comme si le travail du lecteur consistait à déchiffrer, sous les grimaces, la connivence d'un langage ; comme si notre lecture était déjà inscrite dans la configuration d'un récit, rythmé par ses envols et par ses chutes.

Lorsque le narrateur, après plusieurs tentatives infructueuses, se retrouve enfin sur le sol lunaire, c'est pour échouer, « le visage mouillé d'une pomme », contre l'Arbre de vie, en plein Paradis terrestre. Suit une description des lieux, qui rappelle à plus d'un titre les premiers essais littéraires de Cyrano (cf. dans les *Lettres*, *Le Printemps*). On peut justifier de plusieurs façons la présence ici d'un fragment descriptif : tradition du *locus amœnus*, emprunté par les poètes du Moyen Age aux Latins ; fonction décorative de l'ornement ; célébration d'un univers innocent ; souci d'une progression dramatique ; antithèse entre le séjour naturel par excellence et les villes où pénètre le narrateur, une fois exclu du Jardin, comme ses premiers ancêtres ; ouverture solen-

nelle, avant le début du récit. Toutes ces motivations,
loin de s'exclure, se renforcent; mais on accordera la
préférence à la fonction inaugurale de la Description,
tant pour le narrateur que pour l'écrivain; cette ouverture, où sont exaltés, à travers diverses métaphores,
l'odorat, le toucher, l'ouïe et la vue, produit de singu-
liers effets :

« Je sentis ma jeunesse se rallumer, mon visage devenir vermeil, ma chaleur naturelle se remêler doucement à mon humide radical; enfin je reculai sur mon
âge environ quatorze ans. » On sait le succès encore
tenace des Descriptions dans l'éventail des exercices
scolaires. Loin d'être seulement un fait sociologique,
cette prédominance suspecte s'enracine dans une mythologie de l'écriture dont nous ne sommes pas encore
sortis. La traversée de la Description n'est pas sans
évoquer les épreuves auxquelles sont soumis les héros
de la légende; mais elle sert ici à des fins plus précises;
la métamorphose du narrateur est elle-même une métaphore de l'écriture, et de sa poussée euphorique, du plaisir
dont elle est la marque; un des pôles du récit est le
sarcasme, l'autre est cette quête de la jouissance et de
l'innocence, mêlées étrangement dans cette « pointe »
minutieusement travaillée. Evoquant la fontaine rustique, élément nécessaire de toute description bien
conduite, Cyrano écrit :

> « Les grands cercles qu'elle promène, en revenant
> mille fois sur soi-même, montrent que c'est bien à
> regret qu'elle sort de son pays natal; et comme si
> elle eût été honteuse de se voir caressée auprès de
> sa mère, elle repoussa en murmurant ma main qui
> la voulait toucher. »

Le reflet d'un drame s'esquisse à la surface des eaux; à
nous d'en déchiffrer les figures. Lieu de toutes les
confusions, le Paradis exalte les sens; le libertin n'est
pas absent de cette représentation. Si la peinture et la
musique semblent réintroduire l'institution dans la
nature, elles subissent en fait la loi d'un universel égare-
ment. On saisit là peut-être le point de rencontre entre
l'activité métaphorisante du Cyrano des lettres sur
l'*Aqueduc d'Arcueil* ou sur les *Miracles de rivière* et la
violence du pamphlétaire. Ni l'un ni l'autre ne cherchent
à rectifier une trace; ils visent à déplacer, pour produire
un vertige. Le jardin symbolique ne désigne pas seulement l'espace biblique, où s'enracine la légende de l'inno-

cence et du péché originel. Il est déjà le modèle d'une société utopique, aussi bien pour les plaisirs dont il assaille le corps, que pour le rigoureux désordre qui s'y inscrit. On pourrait dire qu'il dénonce toute description fondée sur le jeu des symétries et des lignes droites, et par là même un ordre institutionnel fondé sur le principe d'un Code juridique ou militaire. Platon, Thomas More ou Fénelon savent ménager à leurs adeptes des espaces promis aux délices, mais le mal géométrique y exerce ses ravages. Ainsi s'explique More :

> « Qui connaît une ville d'Utopie les connaît toutes, tant elles sont parfaitement semblables, dans la mesure où la nature des lieux le permet. Je pourrais donc en décrire une au hasard, n'importe laquelle. »

A vrai dire, il y a de précises ressemblances entre la Description et l'Utopie. Chacune vise à circonscrire un espace, à saisir l'instant dans la répétition. C'est se heurter bien vite au paradoxe du plaisir. « A leur avis, nous dit More des Utopiens, n'importe quel plaisir ne constitue pas le bonheur. Celui-ci ne réside que dans les plaisirs raisonnables et honnêtes. » Cette police du plaisir a pour fonction d'annuler la contradiction entre ce qui s'efface et ce qui dure, entre l'être et le passage. La menace logée dans la description, c'est justement de reconstituer, au nom du changement, un univers voué au semblable. La menace de l'Utopie, c'est d'étendre l'empire de la Loi, sous le prétexte fallacieux d'en corriger les effets. Cyrano échappe provisoirement à ce double péril en réintroduisant dans le monde lunaire des contradictions, et en composant sous le signe du Feu un texte où s'entrecroisent et se heurtent les figures différentes du récit et du discours; mais une double lecture reste toujours possible, puisque l'événement a bien pour fonction d'être interprété selon le système de signes qui le sous-tend.

On ne sera pas surpris que cohabitent en un même royaume les philosophes et les juges, les Narrateurs utopiques et les tenants des vieux Codes; la vraisemblance ici importe moins que l'affrontement entre les Signes; ou, plus précisément, il importe que soit maintenue, dans le champ utopique, cette dramatisation de la société, et la différenciation de l'espace, avec ses cages, ses tribunaux et ses chambres. Au cours d'une même démonstration, le philosophe espagnol affirme : « Regardez ce feu, ce n'est que de l'air beaucoup étendu », tantôt

il semble maintenir la division de l'univers en quatre
éléments :

> « Cela n'est pas fort épineux à comprendre quand
> on connaît le cercle parfait et la délicate enchaî-
> nure des éléments; car, si vous considérez attenti-
> vement ce limon qui fait le mariage de la terre et
> de l'eau, vous trouverez qu'il n'est plus terre, qu'il
> n'est plus eau, mais qu'il est l'entremetteur du
> contrat de ces deux ennemis; l'eau tout de même
> avec l'air s'envoient réciproquement un brouillard
> qui pénètre aux humeurs de l'un et de l'autre pour
> moyenner leur paix, et l'air se réconcilie avec le feu
> par le moyen d'une exhalaison médiatrice qui les
> unit. »

Mais l'ennemi commun est bien « le pédantisme d'Aristote, dont retentissent aujourd'hui toutes les classes de
votre France ». La tactique de la philosophie régnante
vise justement à souligner les incompatibilités théoriques
entre les systèmes qu'elle a prétendu écraser, alors que
le but recherché par Cyrano, au-delà d'une orthodoxie
hâtive, est bien de faire parler des discours pluriels;
*L'Autre Monde*, c'est aussi l'épaisseur des textes enfouis,
promis à une lente décomposition, et la renaissance
triomphante d'idéologies réduites au silence par la sainte
alliance entre le thomisme et une certaine version de
l'Aristotélisme. *L'Autre Monde*, c'est une dramatisation
textuelle, où l'opposition entre le monde du livre et le
monde de la sensation cesse d'être pertinente, où le
corps et son intelligence ne sont plus posés comme anta-
gonistes. On retrouve, inscrites dans la fiction, les hési-
tations théoriques sur la structure élémentaire, selon
qu'on adopte l'atomisme épicurien ou la physique
des quatre éléments. Les catégories du Récit et de la
Description ne peuvent en effet être assimilées à la somme
de leurs traits distinctifs, ni identifiés par une simple
comptabilisation des différences : le récit lunaire n'est,
pour une large part, rien d'autre qu'une Description des
plaisirs offerts à tous les sens, des bouleversements
nécessaires en notre monde, selon une progression
savamment graduée; mais cette Description est traversée
par les faits et gestes des narrateurs qui, troublant les
eaux utopiques, viennent produire dans le cercle un
effet supplémentaire. Cette contradiction se résout si
l'on veut bien admettre que sur le double plan de la
fiction et de la théorie, narrations et démonstrations

convergent vers un point unique, mais absent, où se rejoindraient les divers niveaux d'hypothèse. A ceci près que ce point se déplace aussi, entraînant dans sa dérive le système tout entier.

En attribuant à *tous* les sens le droit au plaisir, Cyrano refuse de hiérarchiser et d'évincer. Dans les systèmes les plus rigoureux, tels le jansénisme, la vue est condamnée à l'égal de l'ouïe et de l'odorat, mais elle peut être disciplinée, guidée, rectifiée, comme l'ouïe dans une mesure plus faible; la musique et la peinture attestent, par leur insertion dans la société, leur légitimité. L'odorat et le toucher ne subissent pas les mêmes contraintes. Le code des parfums et des effleurements requiert un apprentissage aussi strict que les autres, mais il bouleverse les lois habituelles. La fleur d'oranger, les caresses distribuées au moment du sommeil sur les pieds, les cuisses, les flancs et les bras par « trois ou quatre jeunes garçons » ont ceci de commun avec la fumée nourrissante enfermée dans de grands « vaisseaux » qu'elles enveloppent, séduisent, s'insinuent puis s'évanouissent, laissant place au sommeil ou à la satiété. Cet effacement de toute trace semble important, puisque le « conducteur » invité à justifier cette méthode culinaire, affirme :

> « Les personnes de ce monde jouissent d'une santé bien moins interrompue et plus vigoureuse, à cause que la nourriture n'engendre presque point d'excréments, qui sont l'origine de presque toutes les maladies. »

De même on pourrait soutenir que le banquet funèbre où le philosophe est mangé par ses plus chers compagnons répond au désir de ne rien laisser derrière soi, de dévorer la mort; quant aux livres pendus à la ceinture, qu'un jeune homme s'attache à l'oreille selon son bon plaisir, ces livres légers à manipuler et à transporter, que sont-ils sinon encore le livre, mais dans une matière plus poreuse, prête à toutes les ascensions comme à toutes les disparitions, comme si l'absorption d'un savoir était secrètement liée à la faible pesanteur des lieux où il se dépose. La recherche du plaisir et de la connaissance vise à substituer à des représentations immobiles de l'être un univers remuant, où tout vient s'offrir, puis s'efface, dans un incessant voyage. *L'Autre Monde* est d'abord un grand roman épicurien, à l'égal de *De Natura rerum*, de Lucrèce, ou du *Neveu de Rameau*, de Diderot. On

sait pourtant que l'utopie mise en place par Cyrano, loin
de se réfugier dans un pittoresque de convention, aborde
hardiment les grandes rubriques dont se constitue tout
traité sur l'organisation de la cité. Le corps, la sexualité,
la monnaie, le langage, la guerre, la famille et la mort,
au lieu d'être considérés comme les signes intangibles
d'un Code normatif, deviennent les éléments d'une
même problématique. De ces bouleversements, l'écrivain n'est pas exclu, dans la mesure où le travail sur le
signe, la mutation des Codes, passe par l'inscription
théorique. Ainsi, suivant en cela un Charles Sorel, l'auteur du *Francion* et du *Berger extravagant*, il propose
un système d'équivalence entre le prix des choses et la
« pointe » d'un sonnet ou bien un duel oratoire entre
spécialistes pour régler le sort des Etats :

> « Encore qu'un royaume eût défait son ennemi de
> bonne guerre, ce n'est presque rien avancé, car il y a
> d'autres armées peu nombreuses de savants et
> d'hommes d'esprit, des disputes desquelles dépend
> entièrement le triomphe ou la servitude des Etats. »

Mais là encore la description n'est pas le dernier mot
du récit, le point immobile où se gèle la représentation.
Le philosophe intervient alors pour nier la probabilité
d'un conflit *équilibré*. Que ce soit par adresse, par force
ou par fortune, l'inégalité est patente; et la conclusion
jaillit, cinglante :

> « enfin le vaincu n'est non plus blâmable que le
> joueur de dés, qui sur dix-sept points en voit faire
> dix-huit ».

Les « entretiens » tiennent une place trop importante
dans *L'Autre Monde* pour qu'on ne soit pas tenté d'y voir
l'essentiel, enrobé sous les douceurs d'une fiction à la
mode. Ce serait commettre une erreur de perspective;
il n'en reste pas moins que toute lecture de Cyrano
passe inévitablement par les discours et conversations
qui jalonnent le récit. Avec M. de Montmagny, gouverneur de Québec, s'engage la discussion sur le
système de Ptolémée, et les hypothèses de Copernic,
datant du siècle précédent, mais vérifiées par les obser-
vations de Galilée à partir de 1610. Le philosophe espagnol, le Démon de Socrate, d'autres encore, abordent
successivement toutes les grandes questions pour lesquelles se passionnent les contemporains de Cyrano, où
sont mêlées hardiment les hypothèses les plus auda-

cieuses de la révolution scientifique et idéologique en
cours et des théories encore engagées dans une problématique archaïsante. Ce qu'il faut d'abord retenir de
ces débats, c'est leur urgence; ils sont « brûlants »; non
pas justement qu'ils fassent l'objet, dans les années de la
Fronde, d'une large publicité — après les hardiesses du
début du siècle, la répression des années vingt met un
terme aux professions publiques d'athéisme —, mais
toute une élaboration théorique, dont on ne soupçonne
guère l'ampleur, chemine dans les écrits d'un Gassendi,
d'un la Mothe le Vayer. Ces deux noms, cités plusieurs
fois par divers narrateurs, laissent penser que Cyrano
conçoit son œuvre comme une sortie hors du ghetto,
comme un désir affiché de crier haut ce qui s'inscrivait
sous le couvert d'une érudition réservée à des spécialistes et de relancer, en utilisant de nouvelles formes de
dérision, la campagne matérialiste. En préférant le français au latin, le romanesque au dissertatif, Cyrano n'abandonne pas le sérieux de sa requête; il en déplace le sens.
Lier dans un même récit un éloge des sens et la démonstration épicurienne des simulacres, c'est sans doute en
rester à une théorie des atomes qui pour nous est rede-
venue fictive; mais c'est aussi lier le discours théorique
à l'exercice d'un plaisir, et lier cette recherche du plaisir
au progrès d'une théorie. Juxtaposer un entretien sur
les mondes infinis (« Représentez-vous donc l'univers
comme un grand animal ») et la scène burlesque où un
fils morigène son père sur le ton de la comédie (« Messieurs, je vous prie d'excuser les friponneries de cet
emporté ») c'est délier, dans un même mouvement, ce
qui fonde l'autorité des dieux, des chefs et des pères.
C'est se donner aussi le plaisir d'écrire sur la « cironalité »
universelle, et de rendre au théâtre ce que la tradition
attribue aux mérites d'une hiérarchie. Qu'on lise les
pages où passionnément Cyrano dit et redit l'épopée
élémentaire, le soleil en chasse, les guerres minuscules
logées dans une blessure;

> « alors ces grands feux, rebrouillant tous les corps,
> les rechasseront pêle-mêle de toutes parts comme
> auparavant, et s'étant peu à peu purifiés, ils com-
> menceront de servir de soleils à d'autres petits
> mondes qu'ils engendreront en les poussant hors
> de leurs sphères ».

Le ton devient ici celui du prophète, et du voyant, et
la rhétorique sert à des fins qui dépassent l'ordre dont

elle est la recéleuse. Ailleurs, ce sont de brefs dictionnaires telle cette liste des feux différents :

> « Le feu du poivre est autre chose que le feu du sucre, le feu du sucre que celui de la cannelle, celui de la cannelle que celui du clou de girofle, et celui-ci que le feu du fagot. »

ou encore, ce micro-récit, logé dans l'objection qui l'efface : « Est-ce qu'il sort de mes oreilles une éponge qui boit cette musique pour la rapporter ? » Malgré l'égalité théorique entre les quatre éléments et leur réduction à un terme unique, il n'est pas douteux que le feu est la figure d'une autre combustion, il dévore l'espace clos où littérature et politique édifient leurs brefs monuments à la gloire d'une Entité fictive ; il réunit en lui les qualités apparemment contradictoires de la légèreté et de la toute-puissance. Il est métaphore de l'infini.

Cette chute toujours retenue du récit dans la description, de l'aventure dans le didactique, n'est pas plus un hasard que l'entrecroisement d'une fiction narrative et d'un discours hypothétique. Cyrano, à la recherche d'une expression qui ne détruise pas l'hypothèse matérialiste qu'il soutient, tente de renverser la proposition chrétienne d'un ordre fondé sur les différences irréductibles entre les divers segments de la création, mais il lui faut en même temps créer les conditions d'un glissement des différences, d'une expansion du texte calculée par les théories cosmiques de son époque. Une même tension ne cesse de s'exercer tout au long du Voyage : comment former un Autre Monde dont les contradictions, loin de peser sur sa croissance, soient les conditions mêmes de sa possibilité créatrice.

                                    Maurice LAUGAA.

# BIBLIOGRAPHIE

*I. — Biographie de Cyrano de Bergerac :*

Pour l'essentiel, on se reportera à la notice biographique de Frédéric Lachèvre, dans l'édition Champion (1921) et l'édition Garnier (1933) des œuvres de Cyrano. Les actes relatifs à la famille de Cyrano fournissent divers renseignements sur la fortune de ses proches, terres et rentes (cf. surtout la succession du père de Cyrano, mort en 1648).

Dans le dossier figure un rapport de 1707 sur un neveu, Pierre de Cyrano, détenu à la Bastille pour exhibitionnisme. L'interrogatoire fait mention de l'écrivain. La préface écrite par son ami Henri Lebret, lors de l'édition posthume des *Etats et Empires de la lune* (1657), contient diverses anecdotes, dont l'authenticité n'est pas toujours établie.

*II. — Editions de ses œuvres :*

*Les œuvres libertines de Cyrano de Bergerac,* par Frédéric Lachèvre, 2 volumes — Paris, Champion, 1921.
*L'Autre Monde* et les *Œuvres diverses,* par Frédéric Lachèvre, 2 volumes, Paris, Garnier, 1933.
Ces deux éditions n'adoptent pas la même disposition : le principal défaut de la première est d'écarter, comme l'indique le titre, les textes de Cyrano qui ne peuvent être qualifiés de libertins ; quant à la deuxième, elle opère un choix entre les variantes, en négligeant des corrections de style jugées à tort insignifiantes.
Parmi les éditions récentes, signalons pour le sérieux de la présentation et de l'appareil critique :

*L'Autre Monde,* publié par Henri Weber, Editions sociales, 1960.

*Les Etats et Empires de la lune et du soleil*, publié
par Claude Mettra et Jean Suyeux, J.-J. Pauvert
et Club des Libraires de France, 1962.

Une édition critique des Lettres a été publiée en
Italie :

*Cyrano de Bergerac, Lettres*, Luciano Erba, Milan,
1965.

*III. — Etudes critiques :*

Deux ouvrages ont été publiés à l'étranger ces dernières années :

en italien : *La Magie dans l'œuvre de Cyrano de Bergerac*, par Luciano Erba, Milan, 1959.
en anglais : *Cyrano de Bergerac and the universe of
imagination*, par Edward W. Lanius, Genève,
Droz, 1967.

Parmi les articles récents, signalons :

E. Canseliet : *Cyrano de Bergerac, philosophe her-
métique*, les Cahiers d'Hermès nº 1-1947.
J.-J. Bridenne : *A la recherche du vrai Cyrano de
Bergerac*, Information littéraire, nov.-déc. 1953.
J.-J. Bridenne : *Cyrano et la science aéronautique
de son temps*, Revue des sciences humaines, juil.-
sept. 1954.
H. Weber : *Imagination et rationalisme, le voyage
de Cyrano dans la lune*, les cahiers rationalistes,
déc. 1957.
M. Blanchot : *Cyrano*, in : *Tableau de la littérature
française de Rutebeuf à Descartes*, Paris, Gallimard,
1962.
Ch. Liger : *Les Cinq Envols de Cyrano*, Nouvelle
Revue Française, août-sept. 1965.

On trouvera des compléments utiles dans les ouvrages
généraux suivants :

J.-J. Bridenne : *La Littérature française d'imagination scientifique*, Paris, Dassonville, 1950.
R. Pintard : *Le Libertinage érudit dans la première
moitié du XVII<sup>e</sup> siècle*, Paris, Boivin, 1943.
H. Tuzet : *Cosmos et imagination*, Paris, Corti, 1965.

# L'AUTRE MONDE
## OU
# LES ÉTATS ET EMPIRES DE LA LUNE

La lune était en son plein, le ciel était découvert, et neuf heures du soir étaient sonnées lorsque nous revenions d'une maison proche de Paris, quatre de mes amis et moi. Les diverses pensées que nous donna la vue de cette boule de safran nous défrayèrent sur le chemin. Les yeux noyés dans ce grand astre, tantôt l'un le prenait pour une lucarne du ciel par où l'on entrevoyait la gloire des bienheureux; tantôt l'autre protestait que c'était la platine où Diane dresse les rabats d'Apollon; tantôt un autre s'écriait que ce pourrait bien être le soleil lui-même, qui s'étant au soir dépouillé de ses rayons regardait par un trou ce qu'on faisait au monde quand il n'y était plus.

« Et moi, dis-je, qui souhaite mêler mes enthousiasmes aux vôtres, je crois sans m'amuser aux imaginations pointues dont vous chatouillez le temps pour le faire marcher plus vite, que la lune est un monde comme celui-ci, à qui le nôtre sert de lune. »

La compagnie me régala d'un grand éclat de rire.

« Ainsi peut-être, leur dis-je, se moque-t-on maintenant dans la lune, de quelque autre, qui soutient que ce globe-ci est un monde. »

Mais j'eus beau leur alléguer que Pythagore, Epicure, Démocrite et, de notre âge, Copernic et Kepler, avaient été de cette opinion, je ne les obligeai qu'à s'égosiller de plus belle.

Cette pensée, dont la hardiesse biaisait en mon humeur, affermie par la contradiction, se plongea si profondément chez moi que, pendant tout le reste du chemin, je demeurai gros de mille définitions de lune, dont je ne pouvais accoucher; et à force d'appuyer cette créance burlesque par des raisonnements sérieux, je me le persuadai quasi, mais, écoute, lecteur, le miracle ou l'accident dont la Providence ou la fortune se servirent pour me le confirmer.

J'étais de retour à mon logis et, pour me délasser de la promenade, j'étais à peine entré dans ma chambre quand sur ma table je trouvai un livre ouvert que je n'y avais point mis. C'était les œuvres de Cardan; et quoique je n'eusse pas dessein d'y lire, je tombai de la vue, comme par force, justement dans une histoire que raconte ce philosophe : il écrit qu'étudiant un soir à la chandelle, il aperçut entrer, à travers les portes fermées de sa chambre, deux grands vieillards, lesquels, après beaucoup d'interrogations qu'il leur fit, répondirent qu'ils étaient habitants de la lune, et cela dit, ils disparurent.

Je demeurai si surpris, tant de voir un livre qui s'était apporté là tout seul, que du temps et de la feuille où il s'était rencontré ouvert, que je pris toute cette enchaînure d'incidents pour une inspiration de Dieu qui me poussait à faire connaître aux hommes que la lune est un monde.

« Quoi! disais-je en moi-même, après avoir tout aujourd'hui parlé d'une chose, un livre qui peut-être est le seul au monde où cette matière se traite voler de ma bibliothèque sur ma table, devenir capable de raison, pour s'ouvrir justement à l'endroit d'une aventure si merveilleuse et fournir ensuite à ma fantaisie les réflexions et à ma volonté les desseins que je fais!... Sans doute, continuais-je, les deux vieillards qui apparurent à ce grand homme sont ceux-là mêmes qui ont dérangé mon livre, et qui l'ont ouvert sur cette page, pour s'épargner la peine de me faire cette harangue qu'ils ont faite à Cardan.

— Mais, ajoutais-je, je ne saurais m'éclaircir de ce doute, si je ne monte jusque-là ?

— Et pourquoi non ? me répondais-je aussitôt. Prométhée fut bien autrefois au ciel dérober du feu. »

A ces boutades de fièvres chaudes, succéda l'espérance de faire réussir un si beau voyage. Je m'enfermai, pour en venir à bout, dans une maison de campagne assez écartée, où après avoir flatté mes rêveries de quelques moyens capables de m'y porter, voici comme je me donnai au ciel.

Je m'étais attaché autour de moi quantité de fioles pleines de rosée, et la chaleur du soleil qui les attirait m'éleva si haut, qu'à la fin je me trouvai au-dessus des plus hautes nuées. Mais comme cette attraction me faisait monter avec trop de rapidité, et qu'au lieu de m'approcher de la lune, comme je prétendais, elle me paraissait plus éloignée qu'à mon partement, je cassai plusieurs de mes fioles, jusqu'à ce que je sentis que ma pesanteur surmontait l'attraction et que je descendais vers la terre.

Mon opinion ne fut point fausse, car j'y retombai quelque temps après, et à compter l'heure que j'en étais parti, il devait être minuit. Cependant je reconnus que le soleil était alors au plus haut de l'horizon, et qu'il était midi. Je vous laisse à penser combien je fus étonné : certes je le fus de si bonne sorte que, ne sachant à quoi attribuer ce miracle, j'eus l'insolence de m'imaginer qu'en faveur de ma hardiesse, Dieu avait encore une fois recloué le soleil aux cieux, afin d'éclairer une si généreuse entreprise.

Ce qui accrut mon ébahissement, ce fut de ne point connaître le pays où j'étais, vu qu'il me semblait qu'étant monté droit, je devais être descendu au même lieu d'où j'étais parti. Equipé comme j'étais, je m'acheminai vers une chaumière, où j'aperçus de la fumée; et j'en étais à peine à une portée de pistolet, que je me vis entouré d'un grand nombre de sauvages. Ils parurent fort surpris de ma rencontre; car j'étais le premier, à ce que je pense, qu'ils eussent jamais vu habillé de bouteilles. Et pour renverser encore toutes les interprétations qu'ils auraient pu donner à cet équipage, ils voyaient qu'en marchant je ne touchais presque point à la terre : aussi ne savaient-ils pas qu'au premier branle que je donnais à mon corps, l'ardeur des rayons de midi me soulevait avec ma rosée, et sans que mes fioles n'étaient plus en assez grand nombre, j'eusse été, possible, à leur vue enlevé dans les airs.

Je les voulus aborder; mais comme si la frayeur les eût changés en oiseaux, un moment les vit perdre dans la forêt prochaine. J'en attrapai toutefois un, dont les jambes sans doute avaient trahi le cœur. Je lui demandai avec bien de la peine (car j'étais essoufflé), combien on comptait de là à Paris, depuis quand en France le monde allait tout nu, et pourquoi ils me fuyaient avec tant d'épouvante. Cet homme à qui je parlais était un vieillard olivâtre, qui d'abord se jeta à mes genoux; et joignant les mains en haut derrière la tête, ouvrit la

bouche et ferma les yeux. Il marmotta longtemps, mais
je ne discernai point qu'il articulât rien; de façon que
je pris son langage pour le gazouillement enroué d'un
muet.

A quelque temps de là, je vis arriver une compagnie
de soldats tambour battant, et j'en remarquai deux se
séparer du gros pour me reconnaître. Quand ils furent
assez proche pour être entendu, je leur demandai où
j'étais.

— Vous êtes en France, me répondirent-ils; mais qui
diable vous a mis dans cet état ? et d'où vient que nous
ne vous connaissons point ? Est-ce que les vaisseaux sont
arrivés ? En allez-vous donner avis à M. le Gouverneur ?
Et pourquoi avez-vous divisé votre eau-de-vie en tant
de bouteilles ?

A tout cela, je leur repartis que le diable ne m'avait
point mis en cet état; qu'ils ne me connaissaient pas, à
cause qu'ils ne pouvaient pas connaître tous les hommes;
que je ne savais point que la Seine portât des navires;
que je n'avais point d'avis à donner à M. de Montbazon;
et que je n'étais point chargé d'eau-de-vie.

— Ho, ho, me dirent-ils, me prenant par le bras, vous
faites le gaillard ? M. le Gouverneur vous connaîtra bien,
lui!

Ils me menèrent vers leur gros, me disant ces paroles,
et j'appris d'eux que j'étais en France et n'étais point en
Europe, car j'étais en la Nouvelle France. Je fus présenté
à M. de Montmagny, qui en est le vice-roi. Il me
demanda mon pays, mon nom et ma qualité; et après
que je l'eus satisfait, en lui racontant l'agréable succès
de mon voyage, soit qu'il le crût, soit qu'il feignît de le
croire, il eut la bonté de me faire donner une chambre
dans son appartement. Mon bonheur fut grand de rencontrer un homme capable de hautes opinions, et qui ne
s'étonna point quand je lui dis qu'il fallait que la terre
eût tourné pendant mon élévation; puisque ayant commencé de monter à deux lieues de Paris, j'étais tombé par
une ligne quasi perpendiculaire en Canada.

Le soir, comme je m'allais coucher, je le vis entrer
dans ma chambre :

— Je ne serais pas venu, me dit-il, interrompre votre
repos, si je n'avais cru qu'une personne qui a pu faire neuf
cents lieues en demi-journée les a pu faire sans se lasser.
Mais vous ne savez pas, ajouta-t-il, la plaisante querelle
que je viens d'avoir pour vous avec nos Pères jésuites ?

Ils veulent absolument que vous soyez magicien; et la plus grande grâce que vous puissiez obtenir d'eux, c'est de ne passer que pour imposteur. Et en vérité, ce mouvement que vous attribuez à la terre n'est-ce point un beau paradoxe; ce qui fait que je ne suis pas bien fort de votre opinion, c'est qu'encore qu'hier vous fussiez parti de Paris, vous pouvez être arrivé aujourd'hui en cette contrée, sans que la terre ait tourné; car le soleil vous ayant enlevé par le moyen de vos bouteilles, ne doit-il pas vous avoir amené ici, puisque, selon Ptolémée, Tyco-Brahé, et les philosophes modernes, il chemine du biais que vous faites marcher la terre? Et puis quelles grandes vraisemblances avez-vous pour vous figurer que le soleil soit immobile, quand nous le voyons marcher? et que la terre tourne autour de son centre avec tant de rapidité, quand nous la sentons ferme dessous nous?

— Monsieur, lui répliquai-je, voici les raisons qui nous obligent à le préjuger. Premièrement, il est du sens commun de croire que le soleil a pris place au centre de l'univers, puisque tous les corps qui sont dans la nature ont besoin de ce feu radical qui habite au cœur du royaume pour être en état de satisfaire promptement à leurs nécessités et que la cause des générations soit placée également entre les corps, où elle agit, de même que la sage nature a placé les parties génitales dans l'homme, les pépins dans le centre des pommes, les noyaux au milieu de leur fruit; et de même que l'oignon conserve à l'abri de cent écorces qui l'environnent le précieux germe où dix millions d'autres ont à puiser leur essence. Car cette pomme est un petit univers à soi-même, dont le pépin plus chaud que les autres parties est le soleil, qui répand autour de soi la chaleur, conservatrice de son globe; et ce germe, dans cet oignon, est le petit soleil de ce petit monde, qui réchauffe et nourrit le sel végétatif de cette masse.

« Cela donc supposé, je dis que la terre ayant besoin de la lumière, de la chaleur, et de l'influence de ce grand feu, elle se tourne autour de lui pour recevoir également en toutes ses parties cette vertu qui la conserve. Car il serait aussi ridicule de croire que ce grand corps lumineux tournât autour d'un point dont il n'a que faire, que de s'imaginer quand nous voyons une alouette rôtie, qu'on a, pour la cuire, tourné la cheminée à l'entour. Autrement si c'était au soleil à faire cette corvée, il semblerait que la

médecine eût besoin du malade; que le fort dût plier
sous le faible, le grand servir au petit; et qu'au lieu qu'un
vaisseau cingle le long des côtes d'une province, on dût
faire promener la province autour du vaisseau.

« Que si vous avez de la peine à comprendre comme
une masse si lourde se peut mouvoir, dites-moi, je vous
prie, les astres et les cieux que vous faites si solides,
sont-ils plus légers ? Encore nous, qui sommes assurés
de la rondeur de la terre, il nous est aisé de conclure son
mouvement par sa figure. Mais pourquoi supposer le
ciel rond, puisque vous ne le sauriez savoir, et que de
toutes les figures, s'il n'a pas celle-ci, il est certain qu'il
ne se peut pas mouvoir ? Je ne vous reproche point vos
excentriques, vos concentriques ni vos épicycles; tous
lesquels vous ne sauriez expliquer que très confusément,
et dont je sauve mon système. Parlons seulement des
causes naturelles de ce mouvement.

« Vous êtes contraints vous autres de recourir aux
intelligences qui remuent et gouvernent vos globes. Mais
moi, sans interrompre le repos du Souverain Etre, qui
sans doute a créé la nature toute parfaite, et de la sagesse
duquel il est de l'avoir achevée, de telle sorte que, l'ayant
accompli pour une chose, il ne l'ait pas rendue défec-
tueuse pour une autre; moi, dis-je, je trouve dans la
terre les vertus qui la font mouvoir. Je dis donc que les
rayons du soleil, avec ses influences, venant à frapper
dessus par leur circulation, la font tourner comme nous
faisons tourner un globe en le frappant de la main; ou
que les fumées qui s'évaporent continuellement de son
sein du côté que le soleil la regarde, répercutées par le
froid de la moyenne région, rejaillissent dessus, et de
nécessité ne la pouvant frapper que de biais, la font ainsi
pirouetter.

« L'explication des deux autres mouvements est encore
moins embrouillée, considérez, je vous prie... »

A ces mots, M. de Montmagny m'interrompit et :

— J'aime mieux, dit-il, vous dispenser de cette peine;
aussi bien ai-je lu sur ce sujet quelques livres de Gassendi, à la charge que vous écouterez ce que me répondit un jour l'un de nos Pères qui soutenait votre opinion :

« En effet, disait-il, je m'imagine que la terre tourne,
« non point pour les raisons qu'allègue Copernic, mais
« pour ce que le feu d'enfer, ainsi que nous apprend la
« Sainte Ecriture, étant enclos au centre de la terre, les
« damnés qui veulent fuir l'ardeur de la flamme, gra-

« vissent pour s'en éloigner contre la voûte, et font ainsi
« tourner la terre, comme un chien fait tourner une roue,
« lorsqu'il court enfermé dedans. »

Nous louâmes quelque temps le zèle du bon Père;
et son panégyrique étant achevé, M. de Montmagny me
dit qu'il s'étonnait fort, vu que le système de Ptolémée
était si peu probable, qu'il eût été si généralement reçu.

— Monsieur, lui répondis-je, la plupart des hommes,
qui ne jugent que par les sens, se sont laissé persuader à
leurs yeux; et de même que celui dont le vaisseau
navigue terre à terre croit demeurer immobile, et que le
rivage chemine, ainsi les hommes tournant avec la terre
autour du ciel, ont cru que c'était le ciel lui-même qui
tournait autour d'eux. Ajoutez à cela l'orgueil insuppor-
table des humains, qui leur persuade que la nature n'a
été faite que pour eux; comme s'il était vraisemblable
que le soleil, un grand corps, quatre cent trente-quatre
fois plus vaste que la terre, n'eût été allumé que pour
mûrir ses nèfles, et pommer ses choux. Quant à moi,
bien loin de consentir à l'insolence de ces brutaux, je
crois que les planètes sont des mondes autour du soleil,
et que les étoiles fixes sont aussi des soleils qui ont des
planètes autour d'eux, c'est-à-dire des mondes que nous
ne voyons pas d'ici à cause de leur petitesse, et parce
que leur lumière empruntée ne saurait venir jusqu'à
nous. Car comment, en bonne foi, s'imaginer que ces
globes si spacieux ne soient que de grandes campagnes
désertes, et que le nôtre, à cause que nous y rampons,
une douzaine de glorieux coquins, ait été bâti pour
commander à tous ? Quoi! parce que le soleil compasse
nos jours et nos années, est-ce à dire pour cela qu'il n'ait
été construit qu'afin que nous ne cognions pas de la
tête contre les murs ? Non, non, si ce Dieu visible
éclaire l'homme, c'est par accident, comme le flambeau
du roi éclaire par accident au crocheteur qui passe par
la rue.

— Mais, me dit-il, si comme vous assurez, les étoiles
fixes sont autant de soleils, on pourrait conclure de là
que le monde serait infini, puisqu'il est vraisemblable
que les peuples de ces mondes qui sont autour d'une
étoile fixe que vous prenez pour un soleil découvrent
encore au-dessus d'eux d'autres étoiles fixes que nous
ne saurions apercevoir d'ici, et qu'il en va éternellement
de cette sorte.

— N'en doutez point, lui répliquai-je; comme Dieu a

pu faire l'âme immortelle, il a pu faire le monde infini,
s'il est vrai que l'éternité n'est rien autre chose qu'une
durée sans bornes, et l'infini une étendue sans limites.
Et puis Dieu serait fini lui-même, supposé que le monde
ne fût pas infini, puisqu'il ne pourrait pas être où il n'y
aurait rien, et qu'il ne pourrait accroître la grandeur du
monde, qu'il n'ajoutât quelque chose à sa propre étendue,
commençant d'être où il n'était pas auparavant. Il faut
donc croire que comme nous voyons d'ici Saturne et
Jupiter, si nous étions dans l'un ou dans l'autre, nous
découvririons beaucoup de mondes que nous n'aper-
cevons pas d'ici, et que l'univers est éternellement construit de cette sorte.

— Ma foi! me répliqua-t-il, vous avez beau dire, je
ne saurais du tout comprendre cet infini.

— Hé! dites-moi, lui dis-je, comprenez-vous mieux le
rien qui est au delà ? Point du tout. Quand vous songez à
ce néant, vous vous l'imaginez tout au moins comme du
vent, comme de l'air, et cela est quelque chose; mais
l'infini, si vous ne le comprenez en général, vous le
concevez au moins par parties, car il n'est pas difficile de
se figurer de la terre, du feu, de l'eau, de l'air, des astres,
des cieux. Or, l'infini n'est rien qu'une tissure sans bornes
de tout cela. Que si vous me demandez de quelle façon
ces mondes ont été faits, vu que la Sainte Écriture parle
seulement d'un que Dieu créa, je réponds qu'elle ne
parle que du nôtre à cause qu'il est le seul que Dieu ait
voulu prendre la peine de faire de sa propre main, mais
tous les autres qu'on voit ou qu'on ne voit pas, sus-
pendus parmi l'azur de l'univers, ne sont rien que l'écume
des soleils qui se purgent. Car comment ces grands feux
pourraient-ils subsister, s'ils n'étaient attachés à quelque
matière qui les nourrit ?

« Or comme le feu pousse loin de chez soi la cendre
dont il est étouffé; de même que l'or dans le creuset,
se détache en s'affinant du marcassite qui affaiblit son
carat, et de même que notre cœur se dégage par le vomis-
sement des humeurs indigestes qui l'attaquent; ainsi
le soleil dégorge tous les jours et se purge des restes
de la matière qui nourrit son feu. Mais lorsqu'il aura
tout à fait consommé cette matière qui l'entretient, vous
ne devez point douter qu'il ne se répande de tous côtés
pour chercher une autre pâture, et qu'il ne s'attache à
tous les mondes qu'il aura construits autrefois, à ceux
particulièrement qu'il rencontrera les plus proches; alors

ce grand feu, rebrouillant tous les corps, les rechassera
pêle-mêle de toutes parts comme auparavant, et s'étant
peu à peu purifié, il commencera de servir de soleil à
ces petits mondes qu'il engendrera en les poussant hors
de sa sphère. C'est ce qui a fait sans doute prédire aux
pythagoriciens l'embrasement universel.

« Ceci n'est pas une imagination ridicule; la Nouvelle-
France, où nous sommes, en produit un exemple bien
convaincant. Ce vaste continent de l'Amérique est une
moitié de la terre, laquelle en dépit de nos prédécesseurs
qui avaient mille fois cinglé l'Océan, n'avait point encore
été découverte; aussi n'y était-elle pas encore non plus
que beaucoup d'îles, de péninsules, et de montagnes, qui
se sont soulevées sur notre globe, quand les rouillures du
soleil qui se nettoie ont été poussées assez loin, et conden-
sées en pelotons assez pesants pour être attirées par le
centre de notre monde, possible peu à peu en particules
menues, peut-être aussi tout à coup en une masse. Cela
n'est pas si déraisonnable, que saint Augustin n'y eût
applaudi, si la découverte de ce pays eût été faite de son
âge; puisque ce grand personnage, dont le génie était
éclairé du Saint-Esprit, assure que de son temps la terre
était plate comme un four, et qu'elle nageait sur l'eau
comme la moitié d'une orange coupée. Mais si j'ai jamais
l'honneur de vous voir en France, je vous ferai observer
par le moyen d'une lunette fort excellente que j'ai que
certaines obscurités qui d'ici paraissent des taches sont des
mondes qui se construisent. »

Mes yeux qui se fermaient en achevant ce discours
obligèrent M. de Montmagny à me souhaiter le bonsoir.
Nous eûmes, le lendemain et les jours suivants, des entretiens de pareille nature. Mais comme quelque temps
après l'embarras des affaires de la province accrocha
notre philosophie, je retombai de plus belle au dessein
de monter à la lune.

Je m'en allais dès qu'elle était levée, [rêvant] parmi les
bois, à la conduite et au réussit de mon entreprise.
Enfin, un jour, la veille de Saint-Jean, qu'on tenait
conseil dans le fort pour déterminer si on donnerait
secours aux sauvages du pays contre les Iroquois, je
m'en fus tout seul derrière notre habitation au coupeau
d'une petite montagne, où voici ce que j'exécutai :

Avec une machine que je construisis et que je m'ima-
ginais être capable de m'élever autant que je voudrais,

je me précipitai en l'air du faîte d'une roche. Mais parce
que je n'avais pas bien pris mes mesures, je culbutai
rudement dans la vallée.

Tout froissé que j'étais, je m'en retournai dans ma
chambre sans pourtant me décourager. Je pris de la
moelle de bœuf, dont je m'oignis tout le corps, car il
était meurtri depuis la tête jusqu'aux pieds ; et après
m'être fortifié le cœur d'une bouteille d'essence cordiale,
je m'en retournai chercher ma machine. Mais je ne la
retrouvai point, car certains soldats, qu'on avait envoyés
dans la forêt couper du bois pour faire l'échafaudage
du feu de la Saint-Jean qu'on devait allumer le soir,
l'ayant rencontrée par hasard, l'avaient apportée au fort.
Après plusieurs explications de ce que ce pouvait être,
quand on eut découvert l'invention du ressort, quelques-
uns avaient dit qu'il fallait attacher autour quantité de
fusées volantes, pour ce que, leur rapidité l'ayant enlevée bien haut, et le ressort agitant ses grandes ailes, il
n'y aurait personne qui ne prît cette machine pour un
dragon de feu.

Je la cherchai longtemps, mais enfin je la trouvai au
milieu de la place de Québec, comme on y mettait le feu.
La douleur de rencontrer l'ouvrage de mes mains en un
si grand péril me transporta tellement que je courus
saisir le bras du soldat qui allumait le feu. Je lui arrachai
sa mèche, et me jetai tout furieux dans ma machine pour
briser l'artifice dont elle était environnée ; mais j'arrivai
trop tard, car à peine y eus-je les deux pieds que me voilà
enlevé dans la nue.

L'épouvantable horreur dont je fus consterné ne ren-
versa point tellement les facultés de mon âme, que je ne
me sois souvenu depuis de tout ce qui m'arriva dans cet
instant. Vous saurez donc que la flamme ayant dévoré
un rang de fusées (car on les avait disposées six à six,
par le moyen d'une amorce qui bordait chaque demi-
douzaine) un autre étage s'embrasait, puis un autre, en
sorte que le salpêtre embrasé éloignait le péril en le
croissant. La matière toutefois étant usée fit que l'artifice
manqua ; et lorsque je ne songeais plus qu'à laisser ma
tête sur celle de quelque montagne, je sentis (sans que je
remuasse aucunement) mon élévation continuer, et ma
chine prenant congé de moi, je la vis retomber vers la terre.

Cette aventure extraordinaire me gonfla d'une joie
si peu commune que, ravi de me voir délivré d'un dan-

ger assuré, j'eus l'impudence de philosopher dessus. Comme donc je cherchais des yeux et de la pensée ce qui pouvait être la cause de ce miracle, j'aperçus ma chair boursouflée, et grasse encore de la moelle dont je m'étais enduit pour les meurtrissures de mon trébuchement; je connus qu'étant alors en décours, et la lune pendant ce quartier ayant accoutumé de sucer la moelle des animaux, elle buvait celle dont je m'étais enduit avec d'autant plus de force que son globe était plus proche de moi, et que l'interposition des nuées n'en affaiblissait point la vigueur.

Quand j'eus percé, selon le calcul que j'ai fait depuis, beaucoup plus des trois quarts du chemin qui sépare la terre d'avec la lune, je me vis tout d'un coup choir les pieds en haut, sans avoir culbuté en aucune façon. Encore ne m'en fus-je pas aperçu, si je n'eusse senti ma tête chargée du poids de mon corps. Je connus bien à la vérité que je ne retombais pas vers notre monde; car encore que je me trouvasse entre deux lunes, et que je remarquasse fort bien que je m'éloignais de l'une à mesure que je m'approchais de l'autre, j'étais très assuré que la plus grande était notre terre; pour ce qu'au bout d'un jour ou deux de voyage, les réfractions éloignées du soleil venant à confondre la diversité des corps et des climats, il ne m'avait plus paru que comme une grande plaque d'or ainsi que l'autre; cela me fit imaginer que j'abaissais vers la lune, et je me confirmai dans cette opinion, quand je vins à me souvenir que je n'avais commencé de choir qu'après les trois quarts du chemin. « Car, disais-je en moi-même, cette masse étant moindre que la nôtre, il faut que la sphère de son activité soit aussi moins étendue, et que, par conséquent, j'aie senti plus tard la force de son centre. »

Après avoir été fort longtemps à tomber, à ce que je préjuge (car la violence du précipice doit m'avoir empêché de le remarquer), le plus loin dont je me souviens est que je me trouvai sous un arbre embarrassé avec trois ou quatre branches assez grosses que j'avais éclatées par ma chute, et le visage mouillé d'une pomme qui s'était écachée contre.

Par bonheur, ce lieu-là était, comme vous le saurez bientôt, le Paradis terrestre, et l'arbre sur lequel je tombai se trouva justement l'Arbre de Vie. Ainsi vous pouvez bien juger que sans ce miraculeux hasard, j'étais mille fois mort. J'ai souvent depuis fait réflexion sur ce que le vulgaire assure qu'en se précipitant d'un lieu fort haut, on est étouffé auparavant de toucher la terre; et j'ai conclu de mon aventure qu'il en avait menti, ou bien qu'il fallait que le jus énergique de ce fruit qui m'avait coulé dans la bouche eût rappelé mon âme qui n'était pas loin dans mon cadavre encore tout tiède et encore disposé aux fonctions de la vie.

En effet, sitôt que je fus à terre ma douleur s'en alla auparavant même de se peindre en ma mémoire; et la faim, dont pendant mon voyage j'avais été beaucoup travaillé, ne me fit trouver en sa place qu'un léger souvenir de l'avoir perdue.

A peine, quand je fus relevé, eus-je remarqué les bords de la plus large de quatre grandes rivières qui forment un lac en la bouchant, que l'esprit ou l'âme invisible des simples qui s'exhalent sur cette contrée me vint réjouir l'odorat; les petits cailloux n'étaient raboteux ni durs qu'à la vue : ils avaient soin de s'amollir quand on marchait dessus.

Je rencontrai d'abord une étoile de cinq avenues, dont les chênes qui la composent semblaient par leur excessive hauteur porter au ciel un parterre de haute futaie. En promenant mes yeux de la racine jusqu'au sommet, puis les précipitant du faîte jusqu'au pied, je doutais si la terre les portait, ou si eux-mêmes ne portaient point la terre pendue à leur racine, on dirait que leur front superbement élevé pliait comme par force sous la pesanteur des globes célestes dont ils ne soutiennent la charge qu'en gémissant; leurs bras étendus vers le ciel semblent en l'embrassant demander aux astres la bénignité toute pure de leurs influences, et la recevoir, auparavant qu'elles aient rien perdu de leur innocence, au lit des éléments.

Là, de tous côtés, les fleurs, sans avoir eu d'autres jardiniers que la nature, respirent une haleine sauvage, qui réveille et satisfait l'odorat; là l'incarnat d'une rose sur l'églantier, et l'azur éclatant d'une violette sous des ronces, ne laissant point de liberté pour le choix, vous font juger qu'elles sont toutes deux plus belles l'une que l'autre; là le printemps compose toutes les saisons; là ne germe point de plante vénéneuse que sa naissance ne trahisse sa conservation; là les ruisseaux racontent leurs voyages aux cailloux; là mille petites voix emplumées font retentir la forêt au bruit de leurs chansons; et la trémoussante assemblée de ces gosiers mélodieux est si

générale qu'il semble que chaque feuille dans le bois
ait pris la langue et la figure d'un rossignol; écho prend
tant de plaisir à leurs airs qu'on dirait à les lui entendre
répéter qu'elle ait envie de les apprendre. A côté de ce
bois se voient deux prairies, dont le vert gai continu fait
une émeraude à perte de vue. Le mélange confus des
peintures que le printemps attache à cent petites fleurs
égare les nuances l'une dans l'autre et ces fleurs agitées
semblent courir après elles-mêmes pour échapper aux
caresses du vent.

On prendrait cette prairie pour un océan, mais parce
que c'est une mer qui n'offre point de rivage, mon œil,
épouvanté d'avoir couru si loin sans découvrir le bord,
y envoyait vitement ma pensée; et ma pensée doutant
que ce fût la fin du monde, se voulait persuader que
des lieux si charmants avaient peut-être forcé le ciel
de se joindre à la terre. Au milieu d'un tapis si vaste et
si parfait, court à bouillons d'argent une fontaine rustique qui couronne ses bords d'un gazon émaillé de
pâquerettes, de bassinets, de violettes, et ces fleurs qui
se pressent tout à l'entour font croire qu'elles se pressent
à qui se mirera la première; elle est encore au berceau,
car elle ne fait que de naître, et sa face jeune et polie
ne montre pas seulement une ride. Les grands cercles
qu'elle promène, en revenant mille fois sur soi-même,
montrent que c'est bien à regret qu'elle sort de son pays
natal; et comme si elle eût été honteuse de se voir caressée
auprès de sa mère, elle repoussa toujours en murmurant
ma main folâtre qui la voulait toucher. Les animaux
qui s'y venaient désaltérer, plus raisonnables que ceux
de notre monde, témoignaient être surpris de voir qu'il
faisait grand jour sur l'horizon, pendant qu'ils regardaient le soleil aux antipodes, et n'osaient quasi se pencher
sur le bord, de crainte qu'ils avaient de tomber au firmament.

Il faut que je vous avoue qu'à la vue de tant de belles
choses je me sentis chatouillé de ces agréables douleurs,
où on dit que l'embryon se trouve à l'infusion de son
âme. Le vieux poil me tomba pour faire place à d'autres
cheveux plus épais et plus déliés. Je sentis ma jeunesse
se rallumer, mon visage devenir vermeil, ma chaleur
naturelle se remêler doucement à mon humide radical;
enfin je reculai sur mon âge environ quatorze ans.

J'avais cheminé demi-lieue à travers une forêt de
jasmins et de myrtes, quand j'aperçus couché à l'ombre

je ne sais quoi qui remuait : c'était un jeune adolescent,
dont la majestueuse beauté me força presque à l'adora-
tion. Il se leva pour m'en empêcher :

— Et ce n'est pas à moi, s'écria-t-il fortement, c'est
à Dieu que tu dois ces humilités!

— Vous voyez une personne, lui répondis-je, cons-
ternée de tant de miracles, que je ne sais par lequel
débuter mes admirations; car, en premier lieu, venant
d'un monde que vous prenez sans doute ici pour une
lune, je pensais être abordé dans un autre que ceux de
mon pays appellent la lune aussi; et voilà que je me
trouve en paradis, aux pieds d'un dieu qui ne veut pas
être adoré, et d'un étranger qui parle ma langue.

— Hormis la qualité de dieu, me répliqua-t-il, ce
que vous dites est véritable; cette terre-ci est la lune
que vous voyez de votre globe; et ce lieu-ci où vous
marchez est le paradis, mais c'est le paradis terrestre
où n'ont jamais entré que six personnes : Adam,
Eve, Enoch, moi qui suis le vieil Elie, saint Jean
l'Evangéliste, et vous. Vous savez bien comment les
deux premiers en furent bannis, mais vous ne savez
pas comme ils arrivèrent en votre monde. Sachez
donc qu'après avoir tâté tous deux de la pomme défendue, Adam, qui craignait que Dieu, irrité par sa
présence, ne rengrégeât sa punition, considéra la lune,
votre terre, comme le seul refuge où il se pouvait mettre
à l'abri des poursuites de son Créateur.

Or, en ce temps-là, l'imagination chez l'homme était
si forte, pour n'avoir point encore été corrompue, ni par
les débauches, ni par la crudité des aliments, ni par
l'altération des maladies, qu'étant alors excité du violent
désir d'aborder cet asile, et que toute sa masse étant
devenue légère par le feu de cet enthousiasme, il y fut
enlevé de la même sorte qu'il s'est vu des philosophes,
leur imagination fortement tendue à quelque chose, être
emportés en l'air par des ravissements que vous appelez
extatiques. Eve, que l'infirmité de son sexe rendait plus
faible et moins chaude, n'aurait pas eu sans doute l'ima-
ginative assez vigoureuse pour vaincre par la contention
de sa volonté le poids de la matière, mais parce qu'il y
avait très peu qu'elle avait été tirée du corps de son
mari, la sympathie dont cette moitié était encore liée
à son tout, la porta vers lui à mesure qu'il montait,
comme l'ambre se fait suivre de la paille, comme l'aimant se tourne au septentrion d'où il a été arraché, et

Adam attira l'ouvrage de sa côte comme la mer attire les fleuves qui sont sortis d'elle. Arrivés qu'ils furent en votre terre, ils s'habituèrent entre la Mésopotamie et l'Arabie ; les Hébreux l'ont connu sous le nom d'Adam, et les idolâtres sous le nom de Prométhée, que leurs poètes feignirent avoir dérobé le feu du ciel, à cause de ses descendants qu'il engendra pourvus d'une âme aussi parfaite que celle dont Dieu l'avait rempli.

Ainsi pour habiter votre monde, le premier homme laissa celui-ci désert ; mais le Tout-Sage ne voulut pas qu'une demeure si heureuse restât sans habitants : il permit peu de siècles après qu'Enoch, ennuyé de la compagnie des hommes, dont l'innocence se corrompait, eût envie de les abandonner. Mais ce saint personnage ne jugea point de retraite assurée contre l'ambition de ses parents qui s'égorgeaient déjà pour le partage de votre monde, sinon la terre bienheureuse, dont jadis, Adam, son aïeul, lui avait tant parlé. Toutefois, comment y aller ? L'échelle de Jacob n'était pas encore inventée ! La grâce du Très-Haut y suppléa, car elle fit qu'Enoch s'avisa que le feu du ciel descendait sur les holocaustes des justes et de ceux qui étaient agréables devant la face du Seigneur, selon la parole de sa bouche : « L'odeur des sacrifices du juste est montée jusqu'à moi. »

Un jour que cette flamme divine était acharnée à consommer une victime qu'il offrait à l'Eternel, de la vapeur qui s'exhalait, il remplit deux grands vases qu'il luta hermétiquement, et se les attacha sous les aisselles. La fumée aussitôt qui tendait à s'élever droit à Dieu, et qui ne pouvait que par miracle pénétrer du métal, poussa les vases en haut, et de la sorte enlevèrent avec eux ce saint homme. Quand il fut monté jusqu'à la lune, et qu'il eut jeté les yeux sur ce beau jardin, un épanouissement de joie quasi surnaturel lui fit connaître que c'était le Paradis terrestre où son grand-père avait autrefois demeuré. Il délia promptement les vaisseaux qu'il avait ceints comme des ailes autour de ses épaules, et le fit avec tant de bonheur qu'à peine était-il en l'air quatre toises au-dessus de la lune, lorsqu'il prit congé de ses nageoires. L'élévation cependant était assez grande pour le beaucoup blesser, sans le grand tour de sa robe, où le vent s'engouffra, et l'ardeur du feu de la charité qui le soutint aussi. Pour les vases, ils montèrent toujours jusqu'à ce que Dieu les enchâssa dans le ciel, et c'est ce qu'aujourd'hui vous appelez les Balances, qui nous montrent bien tous les

jours qu'elles sont encore pleines des odeurs du sacrifice
d'un juste par les influences favorables qu'elles inspirent
sur l'horoscope de Louis le Juste, qui eut les Balances
pour ascendant.

Il n'était pas encore toutefois en ce jardin; il n'y arriva
que quelque temps après. Ce fut lorsque déborda le
déluge, car les eaux où votre monde s'engloutit montèrent à une hauteur si prodigieuse que l'arche voguait
dans les cieux à côté de la lune. Les humains aperçurent
ce globe par la fenêtre, mais la réflexion de ce grand
corps opaque s'affaiblissait à cause de leur proximité qui
partageait sa lumière, chacun d'eux crut que c'était un
canton de la terre qui n'avait pas été noyé. Il n'y eut
qu'une fille de Noé, nommée Achab, qui, à cause peut-
être qu'elle avait pris garde qu'à mesure que le navire
haussait, ils approchaient de cet astre, soutint à cor et à
cri qu'assurément c'était la lune. On eut beau lui représenter que, la sonde jetée, on n'avait trouvé que quinze
coudées d'eau, elle répondait que le fer avait donc rencontré le dos d'une baleine qu'ils avaient pris pour la
terre; que, quant à elle, elle était bien assurée que c'était
la lune en propre personne qu'ils allaient aborder. Enfin,
comme chacun opine pour son semblable, toutes les
autres femmes se le persuadèrent ensuite. Les voilà
donc, malgré la défense des hommes, qui jettent l'esquif
en mer. Achab était la plus hasardeuse; aussi voulut-elle
la première essayer le péril. Elle se lance allégrement
dedans, et tout son sexe l'allait joindre, sans une vague
qui sépara le bateau du navire. On eut beau crier après
elle, l'appeler cent fois lunatique, protester qu'elle serait
cause qu'un jour on reprocherait à toutes les femmes
d'avoir dans la tête un quartier de la lune, elle se moqua
d'eux.

La voilà qui vogue hors du monde. Les animaux sui-
virent son exemple, car la plupart des oiseaux qui se
sentirent l'aile assez forte pour risquer le voyage, impa-
tients de la première prison dont on eût encore arrêté
leur liberté, donnèrent jusque-là. Des quadrupèdes
mêmes, les plus courageux se mirent à la nage. Il en était
sorti près de mille, avant que les fils de Noé pussent fermer les étables que la foule des animaux qui s'échap-
paient tenaient ouvertes. La plupart abordèrent ce nouveau monde. Pour l'esquif, il alla donner contre un coteau
fort agréable où la généreuse Achab descendit, et,
joyeuse d'avoir connu qu'en effet cette terre-là était la

lune, ne voulut point se rembarquer pour rejoindre ses
frères.

Elle s'habitua quelque temps dans une grotte, et
comme un jour elle se promenait, balançant si elle serait
fâchée d'avoir perdu la compagnie des siens ou si elle en
serait bien aise, elle aperçut un homme qui abattait du
gland. La joie d'une telle rencontre la fit voler aux
embrassements; elle en reçut de réciproques, car il y
avait encore plus longtemps que le vieillard n'avait vu
de visage humain. C'était Enoch le Juste. Ils vécurent
ensemble, et sans que le naturel impie de ses enfants, et
l'orgueil de sa femme, l'obligea de se retirer dans les
bois, ils auraient achevé ensemble de filer leurs jours
avec toute la douceur dont Dieu bénit le mariage des
justes.

Là, tous les jours, dans les retraites les plus sauvages
de ces affreuses solitudes, ce bon vieillard offrait à Dieu,
d'un esprit épuré, son cœur en holocauste, quand de
l'Arbre de Science que vous savez qui est en ce jardin,
un jour étant tombé une pomme dans la rivière au bord
de laquelle il est planté, elle fut portée à la merci des
vagues hors le paradis, en un lieu où le pauvre Enoch,
pour sustenter sa vie, prenait du poisson à la pêche. Ce
beau fruit fut arrêté dans le filet, il le mangea. Aussitôt
il connut où était le paradis terrestre, et, par des secrets
que vous ne sauriez concevoir si vous n'aviez mangé
comme lui de la pomme de science, il y vint demeurer.

Il faut maintenant que je vous raconte la façon dont
j'y suis venu : Vous n'avez pas oublié, je pense, que je me
nomme Elie, car je vous l'ai dit naguère. Vous saurez
donc que j'étais en votre monde et que j'habitais avec
Elisée, un Hébreu comme moi, sur les bords du Jour-
dain, où je vivais, parmi les livres, d'une vie assez douce
pour ne la pas regretter, encore qu'elle s'écoulât. Cependant, plus les lumières de mon esprit croissaient, plus
croissait aussi la connaissance de celles que je n'avais
point. Jamais nos prêtres ne me ramentevaient Adam
que le souvenir de cette philosophie parfaite qu'il avait pos-
sédée ne me fît soupirer. Je désespérais de la pouvoir acquérir, quand un jour, après avoir sacrifié pour l'expiation
des faiblesses de mon être mortel, je m'endormis et l'ange
du Seigneur m'apparut en songe. Aussitôt que je fus éveillé,
je ne manquai pas de travailler aux choses qu'il m'avait
prescrites; je pris de l'aimant environ deux pieds en
carré, je les mis au fourneau, puis lorsqu'il fut bien

purgé, précipité et dissous, j'en tirai l'attractif, calcinai tout cet élixir et le réduisis en un morceau de la grosseur environ d'une balle médiocre.

En suite de ces préparations, je fis construire un chariot de fer fort léger et, de là à quelques mois, tous mes engins étant achevés, j'entrai dans mon industrieuse charrette. Vous me demanderez possible à quoi bon tout cet attirail ? Sachez que l'ange m'avait dit en songe que si je voulais acquérir une science parfaite comme je la désirais, je montasse au monde de la lune, où je trouverais dedans le paradis d'Adam, l'Arbre de Science, parce qu'aussitôt que j'aurais tâté de son fruit mon âme serait éclairée de toutes les vérités dont une créature est capable. Voilà donc le voyage pour lequel j'avais bâti mon chariot. Enfin je montai dedans et lorsque je fus bien ferme et bien appuyé sur le siège, je ruai fort haut en l'air cette boule d'aimant. Or la machine de fer que j'avais forgée tout exprès plus massive au milieu qu'aux extrémités fut enlevée aussitôt et, dans un parfait équilibre, à cause qu'elle se poussait toujours plus vite par cet endroit-là. Ainsi donc à mesure que j'arrivais où l'aimant m'avait attiré, et dès que j'étais sauté jusque-là, ma main le faisait repartir.

— Mais, l'interrompis-je, comment lanciez-vous votre balle si droit au-dessus de votre chariot, qu'il ne se trouvât jamais à côté ?

— Je ne vois point de merveille en cette aventure, me dit-il, car l'aimant, poussé qu'il était en l'air, attirait le fer droit à soi ; et par conséquent il était impossible que je montasse jamais à côté. Je vous confesserai bien que, tenant ma boule à ma main, je ne laissais pas de monter, parce que le chariot courait toujours à l'aimant que je tenais au-dessus de lui ; mais la saillie de ce fer pour embrasser ma boule était si vigoureuse qu'elle me faisait plier le corps en quatre doubles, de sorte que je n'osai tenter qu'une fois cette nouvelle expérience. A la vérité, c'était un spectacle à voir bien étonnant, car le soin avec lequel j'avais poli l'acier de cette maison volante réfléchissait de tous côtés la lumière du soleil si vive et si aiguë que je croyais moi-même être emporté dans un chariot de feu. Enfin, après avoir beaucoup rué et volé après mon coup, j'arrivai comme vous avez fait en un terme où je tombais vers ce monde-ci ; et par ce qu'en cet instant je tenais ma boule bien serrée entre mes mains, mon chariot dont le siège me pressait pour approcher de son

attractif ne me quitta point; tout ce qui me restait à
craindre était de me rompre le col; mais pour m'en
garantir, je rejetais ma boule de temps en temps, afin
que ma machine se sentant naturellement rattirée, prît
du repos et rompît ainsi la force de ma chute. Puis,
enfin, quand je me vis à deux ou trois cents toises près
de terre, je lançai ma balle de tous côtés à fleur du chariot, tantôt deçà, tantôt delà, jusqu'à ce que mes yeux le
découvrirent. Aussitôt je ne manquai pas de la ruer dessus, et ma machine l'ayant suivie, je me laissai tomber
tant que je me discernai près de briser contre le sable,
car alors je la jetai seulement un pied par-dessus ma
tête, et ce petit coup-là éteignit tout à fait la raideur
que lui avait imprimée le précipice, de sorte que ma chute
ne fut pas plus violente que si je fusse tombé de ma
hauteur.

Je ne vous représenterai point l'étonnement dont me
saisit la rencontre des merveilles qui sont céans, parce
qu'il fut à peu près semblable à celui dont je viens
de voir consterné. Vous saurez seulement que je rencontrai, dès le lendemain, l'Arbre de Vie par le moyen duquel
je m'empêchai de vieillir. Il consomma bientôt et fit
exhaler le serpent en fumée.

A ces mots :

— Vénérable et sacré patriarche, lui dis-je, je serais
bien aise de savoir ce que vous entendez par ce serpent
qui fut consommé.

Lui, d'un visage riant, me répondit ainsi :

— J'oubliais, ô mon fils, à vous découvrir un secret
dont on ne peut pas vous avoir instruit. Vous saurez donc
qu'après qu'Eve et son mari eurent mangé de la pomme
défendue, Dieu, pour punir le serpent qui les en avait
tentés, le relégua dans le corps de l'homme. Il n'est
point né depuis de créature humaine qui, en punition
du crime de son premier père, ne nourrisse un serpent
dans son ventre, issu de ce premier. Vous le nommez les
boyaux, et vous les croyez nécessaires aux fonctions de
la vie, mais apprenez que ce ne sont autre chose que des
serpents pliés sur eux-mêmes en plusieurs doubles.
Quand vous entendez vos entrailles crier, c'est le serpent
qui siffle, et qui, suivant ce naturel glouton dont jadis il
incita le premier homme à trop manger, demande à
manger aussi; car Dieu qui, pour vous châtier, voulait
vous rendre mortel comme les autres animaux, vous fit
obséder par cet insatiable, afin que si vous lui donniez

trop à manger, vous vous étouffassiez; ou si, lorsque avec les dents invisibles dont cet affamé mord votre estomac, vous lui refusiez sa pitance, il criât, il tempêtât, il dégorgeât ce venin que vos docteurs appellent la bile, et vous échauffât tellement, par le poison qu'il inspire à vos artères, que vous en fussiez bientôt consumé. Enfin pour vous montrer que vos boyaux sont un serpent que vous avez dans le corps, souvenez-vous qu'on en trouva dans les tombeaux d'Esculape, de Scipion, d'Alexandre, de Charles Martel et d'Edouard d'Angleterre qui se nourrissaient encore des cadavres de leurs hôtes.

— En effet, lui dis-je en l'interrompant, j'ai remarqué que comme ce serpent essaie toujours à s'échapper du corps de l'homme, on lui voit la tête et le col sortir au bas de nos ventres. Mais aussi Dieu n'a pas permis que l'homme seul en fût tourmenté, il a voulu qu'il se bandât contre la femme pour lui jeter son venin, et que l'enflure durât neuf mois après l'avoir piquée. Et pour vous montrer que je parle suivant la parole du Seigneur, c'est qu'il dit au serpent pour le maudire qu'il aurait beau faire trébucher la femme en se raidissant contre elle, qu'elle lui ferait enfin baisser la tête.

Je voulais continuer ces fariboles, mais Elie m'en empêcha :

— Songez, dit-il, que ce lieu-ci est saint.

Il se tut ensuite quelque temps, comme pour se ramentevoir de l'endroit où il était demeuré, puis il prit ainsi la parole :

— Je ne tâte du fruit de vie que de cent ans en cent ans, son jus a pour le goût quelque rapport avec l'esprit de vin; ce fut, je crois, cette pomme qu'Adam avait mangée qui fut cause que nos premiers pères vécurent si longtemps, pour ce qu'il était coulé dans leur semence quelque chose de son énergie jusqu'à ce qu'elle s'éteignit dans les eaux du déluge. L'Arbre de Science est planté vis-à-vis. Son fruit est couvert d'une écorce qui produit l'ignorance dans quiconque en a goûté, et qui sous l'épaisseur de cette pelure conserve les spirituelles vertus de ce docte manger. Dieu autrefois, après avoir chassé Adam de cette terre bienheureuse, de peur qu'il n'en retrouvât le chemin, lui frotta les gencives de cette écorce. Il fut, depuis ce temps-là, plus de quinze ans à radoter et oublia tellement toutes choses que lui ni ses descendants jusqu'à Moïse ne se souvinrent seulement pas de la Création. Mais les restes de la vertu de cette

pesante écorce achevèrent de se dissiper par la chaleur
et la clarté du génie de ce grand prophète. Je m'adressai
par bonheur à l'une de ces pommes que la maturité
avait dépouillée de sa peau, et ma salive à peine l'avait
mouillée que la philosophie universelle m'absorba. Il me
sembla qu'un nombre infini de petits yeux se plongèrent
dans ma tête, et je sus le moyen de parler au Seigneur.
Quand depuis j'ai fait réflexion sur cet enlèvement miraculeux, je me suis bien imaginé que je n'aurais pas pu
vaincre par les vertus occultes d'un simple corps naturel
la vigilance du séraphin que Dieu a ordonné pour la
garde de ce paradis. Mais parce qu'il se plaît à se servir
de causes secondes, je crus qu'il m'avait inspiré ce moyen
pour y entrer, comme il voulut se servir des côtes
d'Adam pour lui faire une femme, quoiqu'il pût la former de terre aussi bien que lui.

Je demeurai longtemps dans ce jardin à me promener
sans compagnie. Mais enfin, comme l'ange portier du
lieu était mon principal hôte, il me prit envie de le saluer.
Une heure de chemin termina mon voyage, car, au bout
de ce temps, j'arrivai en une contrée où mille éclairs se
confondant en un formaient un jour aveugle qui ne servait qu'à rendre l'obscurité visible.

Je n'étais pas encore bien remis de cette aventure
que j'aperçus devant moi un bel adolescent :

— Je suis, me dit-il, l'archange que tu cherches, je
viens de lire dans Dieu qu'il t'avait suggéré les moyens
de venir ici, et qu'il voulait que tu y attendisses sa
volonté.

Il m'entretint de plusieurs choses et me dit entre
autres :

— Que cette lumière dont j'avais paru effrayé n'était
rien de formidable; qu'elle s'allumait presque tous les
soirs, quand il faisait la ronde, parce que, pour éviter les
surprises des sorciers qui entrent partout sans être vus,
il était contraint de jouer de l'espadon avec son épée
flamboyante autour du paradis terrestre, et que cette
lueur était les éclairs qu'engendrait son acier.

— Ceux que vous apercevez de votre monde, ajouta-
t-il, sont produits par moi. Si quelquefois vous les
remarquez bien loin, c'est à cause que les nuages d'un
climat éloigné, se trouvant disposés à recevoir cette
impression, font rejaillir jusqu'à vous ces légères images
de feu, ainsi qu'une vapeur autrement située se trouva
propre à former l'arc-en-ciel. Je ne vous instruirai pas

davantage, aussi bien la pomme de science n'est pas loin
d'ici; aussitôt que vous en aurez mangé, vous serez
docte comme moi. Mais surtout gardez-vous d'une
méprise; la plupart des fruits qui pendent à ce végétant
sont environnés d'une écorce de laquelle si vous tâtez,
vous descendrez au-dessous de l'homme au lieu que le
dedans vous fera monter aussi haut que l'ange.

Elie en était là des instructions que lui avait données
le séraphin quand un petit homme nous vint joindre.

— C'est ici cet Enoch dont je vous ai parlé, me dit
tout bas mon conducteur.

Comme il achevait ces mots, Enoch nous présenta un
panier plein de je ne sais quels fruits semblables aux
pommes de grenades qu'il venait de découvrir, ce jour-là
même, en un bocage reculé. J'en serrai quelques-unes
dans mes poches par le commandement d'Elie, lorsqu'il
lui demanda qui j'étais.

— C'est une aventure qui mérite un plus long entretien, repartit mon guide; ce soir, quand nous serons reti-
rés, il nous contera lui-même les miraculeuses particularités de son voyage.

Nous arrivâmes, en finissant ceci, sous une espèce
d'ermitage fait de branches de palmier ingénieusement
entrelacées avec des myrtes et des orangers. Là j'aperçus
dans un petit réduit des monceaux d'une certaine filo-
selle si blanche et si déliée qu'elle pouvait passer pour
l'âme de la neige. Je vis aussi des quenouilles répandues
çà et là. Je demandai à mon conducteur à quoi elles
servaient :

— A filer, me répondit-il. Quand le bon Enoch veut
se débander de la méditation, tantôt il habille cette filasse,
tantôt il en tourne du fil, tantôt il tisse de la toile qui sert
à tailler des chemises aux onze mille vierges. Il n'est pas
que vous n'ayez quelquefois rencontré en votre monde je
ne sais quoi de blanc qui voltige en automne, environ la
saison des semailles; les paysans appellent cela « coton de
Notre-Dame », c'est la bourre dont Enoch purge son lin
quand il le carde.

Nous n'arrêtâmes guère, sans prendre congé d'Enoch,
dont cette cabane était la cellule, et ce qui nous obligea
de le quitter sitôt fut que, de six en six heures, il fait
oraison et qu'il y avait bien cela qu'il avait achevé la
dernière.

Je suppliai en chemin Elie de nous achever l'histoire

des assomptions qu'il m'avait entamée, et lui dis qu'il en était demeuré, ce me semblait, à celle de saint Jean l'Evangéliste.

— Alors puisque vous n'avez pas, me dit-il, la patience d'attendre que la pomme de savoir vous enseigne mieux que moi toutes ces choses, je veux bien vous les apprendre : Sachez donc que Dieu...

A ce mot, je ne sais pas comme le Diable s'en mêla, tant y a que je ne pus m'empêcher de l'interrompre pour railler :

— Je m'en souviens, lui dis-je, Dieu fut un jour averti que l'âme de cet évangéliste était si détachée qu'il ne la retenait plus qu'à force de serrer les dents, et cependant l'heure, où il avait prévu qu'il serait enlevé céans, était presque expirée de façon que, n'ayant pas le temps de lui préparer une machine, il fut contraint de l'y faire être vitement sans avoir le loisir de l'y faire aller.

Elie, pendant tout ce discours, me regardait avec des yeux capables de me tuer, si j'eusse été en état de mourir d'autre chose que de faim :

— Abominable, dit-il, en se reculant, tu as l'impudence de railler sur les choses saintes, au moins ne serait-ce pas impunément si le Tout-Sage ne voulait te laisser aux nations en exemple fameux de sa miséricorde. Va, impie, hors d'ici, va publier dans ce petit monde et dans l'autre, car tu es prédestiné à y retourner, la haine irréconciliable que Dieu porte aux athées.

A peine eut-il achevé cette imprécation qu'il m'empoigna et me conduisit rudement vers la porte. Quand nous fûmes arrivés proche un grand arbre dont les branches chargées de fruits se courbaient presque à terre :

— Voici l'Arbre de Savoir, me dit-il, où tu aurais puisé des lumières inconcevables sans ton irréligion.

Il n'eut pas achevé ce mot que, feignant de languir de faiblesse, je me laissai tomber contre une branche où je dérobai adroitement une pomme. Il s'en fallait encore plusieurs enjambées que je n'eusse le pied hors de ce parc délicieux; cependant la faim me pressait avec tant de violence qu'elle me fit oublier que j'étais entre les mains d'un prophète courroucé. Cela fit que je tirai une de ces pommes dont j'avais grossi ma poche, où je cachai mes dents; mais, au lieu de prendre une de celles dont Enoch m'avait fait présent, ma main tomba sur la pomme que j'avais cueillie à l'arbre de science et dont par malheur je n'avais pas dépouillé l'écorce.

J'en avais à peine goûté qu'une épaisse nuit tomba sur mon âme : je ne vis plus ma pomme, plus d'Elie auprès de moi, et mes yeux ne reconnurent pas en toute l'hémisphère une seule trace du Paradis terrestre, et avec tout cela je ne laissais pas de me souvenir de tout ce qui m'y était arrivé. Quand depuis j'ai fait réflexion sur ce miracle, je me suis figuré que cette écorce ne m'avait pas tout à fait abruti, à cause que mes dents la traversèrent et se sentirent un peu du jus de dedans, dont l'énergie avait dissipé les malignités de la pelure.

Je restai bien surpris de me voir tout seul au milieu d'un pays que je ne connaissais point. J'avais beau promener mes yeux, et les jeter par la campagne, aucune créature ne s'offrait pour les consoler. Enfin je résolus de marcher, jusqu'à ce que la Fortune me fît rencontrer la compagnie de quelque bête ou de la mort.

Elle m'exauça car au bout d'un demi-quart de lieue je rencontrai deux fort grands animaux, dont l'un s'arrêta devant moi, l'autre s'enfuit légèrement au gîte (au moins, je le pensai ainsi à cause qu'à quelque temps de là je le vis revenir accompagné de plus de sept ou huit cents de même espèce qui m'environnèrent). Quand je les pus discerner de près, je connus qu'ils avaient la taille, la figure et le visage comme nous. Cette aventure me fit souvenir de ce que jadis j'avais ouï conter à ma nourrice, des sirènes, des faunes et des satyres. De temps en temps ils élevaient des huées si furieuses, causées sans doute par l'admiration de me voir, que je croyais quasi être devenu monstre.

Une de ces bêtes-hommes m'ayant saisi par le col, de même que font les loups quand ils enlèvent une brebis, me jeta sur son dos, et me mena dans leur ville. Je fus bien étonné, lorsque je reconnus en effet que c'étaient des hommes, de n'en rencontrer pas un qui ne marchât à quatre pattes.

Quand ce peuple me vit passer, me voyant si petit (car la plupart d'entre eux ont douze coudées de longueur), et mon corps soutenu sur deux pieds seulement, ils ne purent croire que je fusse un homme, car ils tenaient, eux autres, que, la nature ayant donné aux hommes comme aux bêtes deux jambes et deux bras, ils s'en devaient servir comme eux. Et en effet, rêvant depuis sur ce sujet, j'ai songé que cette situation de corps n'était point trop extravagante, quand je me suis souvenu que nos enfants, lorsqu'ils ne sont encore instruits que

de nature, marchent à quatre pieds, et ne s'élèvent sur
deux que par le soin de leurs nourrices qui les dressent
dans de petits chariots, et leur attachent des lanières pour
les empêcher de tomber sur les quatre, comme la seule
assiette ou la figure de notre masse incline de se
reposer.

Ils disaient donc (à ce que je me suis fait depuis inter-
préter) qu'infailliblement j'étais la femelle du petit animal
de la reine. Ainsi je fus en qualité de telle ou d'autre
chose mené droit à l'hôtel de ville, où je remarquai, selon
le bourdonnement et les postures que faisaient et le
peuple et les magistrats, qu'ils consultaient ensemble ce
que je pouvais être. Quand ils eurent longtemps conféré,
un certain bourgeois qui gardait les bêtes rares supplia
les échevins de me prêter à lui, en attendant que la reine
m'envoyât quérir pour vivre avec mon mâle.

On n'en fit aucune difficulté. Ce bateleur me porta en
son logis, il m'instruisit à faire le godenot, à passer des
culbutes, à figurer des grimaces; et les après-dînées
faisait prendre à la porte de l'argent pour me montrer.
Enfin le ciel, fléchi de mes douleurs et fâché de voir
profaner le temple de son maître, voulut qu'un jour,
comme j'étais attaché au bout d'une corde, avec laquelle
le charlatan me faisait sauter pour divertir le badaud,
un de ceux qui me regardaient, après m'avoir considéré
fort attentivement, me demanda en grec qui j'étais. Je
fus bien étonné d'entendre là parler comme en notre
monde. Il m'interrogea quelque temps; je lui répondis,
et lui contai ensuite généralement toute l'entreprise et
le succès de mon voyage. Il me consola, et je me souviens
qu'il me dit :

— Hé bien! mon fils, vous portez enfin la peine des
faiblesses de votre monde. Il y a du vulgaire ici comme
là qui ne peut souffrir la pensée des choses où il n'est
point accoutumé. Mais sachez qu'on ne vous traite qu'à
la pareille, et que si quelqu'un de cette terre avait monté
dans la vôtre, avec la hardiesse de se dire homme, vos
docteurs le feraient étouffer comme un monstre ou
comme un singe possédé du Diable.

Il me promit ensuite qu'il avertirait la cour de mon
désastre; il ajouta qu'aussitôt qu'il m'avait envisagé, le
cœur lui avait dit que j'étais un homme parce qu'il avait
autrefois voyagé au monde d'où je venais, que mon pays
était la lune, que j'étais gaulois et qu'il avait jadis demeuré
en Grèce, qu'on l'appelait le démon de Socrate, qu'il

avait depuis la mort de ce philosophe gouverné et instruit à Thèbes Epaminondas, qu'ensuite, étant passé
chez les Romains, la justice l'avait attaché au parti du
jeune Caton, puis après son trépas, qu'il s'était donné
à Brutus. Que tous ces grands personnages n'ayant rien
laissé au monde à leur place que l'image de leurs vertus,
il s'était retiré avec ses compagnons tantôt dans les
temples tantôt dans les solitudes.

— Enfin, ajouta-t-il, le peuple de votre terre devint si
stupide et si grossier que mes compagnons et moi per-
dîmes tout le plaisir que nous avions pris autrefois à
l'instruire. Il n'est pas que vous n'ayez entendu parler
de nous; on nous appelait oracles, nymphes, génies, fées,
dieux foyers, lémures, larves, lamies, farfadets, naïades,
incubes, ombres, mânes, spectres, fantômes; et nous
abandonnâmes votre monde sous le règne d'Auguste, un
peu après que je me fus apparu à Drusus, fils de Livia,
qui portait la guerre en Allemagne, et que je lui défendis
de passer outre. Il n'y a pas longtemps que j'en suis arrivé
pour la seconde fois; depuis cent ans en çà, j'ai eu commis-
sion d'y faire un voyage, je rôdai beaucoup en Europe,
et conversai avec des personnes que possible vous aurez
connues. Un jour, entre autres, j'apparus à Cardan
comme il étudiait; je l'instruisis de quantité de choses,
et en récompense il me promit qu'il témoignerait à la
postérité de qui il tenait les miracles qu'il s'attendait
d'écrire. J'y vis Agrippa, l'abbé Tritème, le docteur
Faust, La Brosse, César, et une certaine cabale de jeunes
gens que le vulgaire a connus sous le nom de « cheva-
liers de la Rose-Croix », à qui j'enseignai quantité de
souplesse et de secrets naturels, qui sans doute les auront
fait passer chez le peuple pour de grands magiciens. Je
connus aussi Campanella, ce fut moi qui l'avisai, pendant qu'il était à l'Inquisition à Rome, de styler son
visage et son corps aux grimaces et aux postures ordinaires de ceux dont il avait besoin de connaître l'in-
térieur afin d'exciter chez soi par une même assiette les
pensées que cette même situation avait appelées dans
ses adversaires, parce qu'ainsi il ménagerait mieux leur
âme quand il la connaîtrait; il commença à ma prière
un livre que nous intitulâmes de Sensu rerum. J'ai fré-
quenté pareillement en France La Mothe Le Vayer et
Gassendi. Ce second est un homme qui écrit autant en
philosophie que ce premier y vit. J'y ai connu aussi
quantité d'autres gens, que votre siècle traite de divins,

mais je n'ai rien trouvé en eux que beaucoup de babil et beaucoup d'orgueil.

« Enfin comme je traversais de votre pays en Angleterre pour étudier les mœurs de ses habitants, je rencontrai un homme, la honte de son pays; car certes c'est une honte aux grands de votre Etat de reconnaître en lui, sans l'adorer, la vertu dont il est le trône. Pour abréger son panégyrique, il est tout esprit, il est tout cœur, et si donner à quelqu'un toutes ces deux qualités dont une jadis suffisait à marquer un héros n'était dire Tristan l'Hermite, je me serais bien gardé de le nommer, car je suis assuré qu'il ne me pardonnera point cette méprise; mais comme je n'attends pas de retourner jamais en votre monde, je veux rendre à la vérité ce témoignage de ma conscience. Véritablement, il faut que je vous avoue que, quand je vis une vertu si haute, j'appréhendai qu'elle ne fût pas reconnue; c'est pourquoi je tâchai de lui faire accepter trois fioles; la première était pleine d'huile de talc, l'autre de poudre de projection, et la dernière d'or potable, c'est-à-dire de ce sel végétatif dont vos chimistes promettent l'éternité. Mais il les refusa avec un dédain plus généreux que Diogène ne reçut les compliments d'Alexandre quand il le vint visiter à son tonneau. Enfin je ne puis rien ajouter à l'éloge de ce grand homme, si ce n'est que c'est le seul poète, le seul philosophe et le seul homme libre que vous ayez. Voilà les personnes considérables avec qui j'ai conversé; tous les autres, au moins de ceux que j'ai connus, sont si fort au-dessous de l'homme, que j'ai vu des bêtes un peu plus haut.

« Au reste, je ne suis point originaire de votre terre ni de celle-ci, je suis né dans le soleil. Mais parce que quelquefois notre monde se trouve trop peuplé, à cause de la longue vie de ses habitants, et qu'il est presque exempt de guerres et de maladies, de temps en temps nos magistrats envoient des colonies dans les mondes d'autour. Quant à moi, je fus commandé pour aller en celui de la Terre et déclaré chef de la peuplade qu'on y envoyait avec moi. J'ai passé depuis en celui-ci, pour les raisons que je vous ai dites; et ce qui fait que j'y demeure actuellement sans bouger, c'est que les hommes y sont amateurs de la vérité, qu'on n'y voit point de pédants, que les philosophes ne se laissent persuader qu'à la raison, et que l'autorité d'un savant, ni le plus grand nombre, ne l'emportent point sur l'opinion d'un batteur

en grange, si le batteur en grange raisonne aussi fortement. Bref, en ce pays, on ne compte pour insensés que
les sophistes et les orateurs. »

Je lui demandai combien de temps ils vivaient, il me
répondit :

— Trois ou quatre mille ans.

Et continua de cette sorte :

« Pour me rendre visible comme je suis à présent, quand
je sens le cadavre que j'informe presque usé ou que les
organes n'exercent plus leurs fonctions assez parfaitement,
je me souffle dans un jeune corps nouvellement mort.

« Encore que les habitants du soleil ne soient pas en
aussi grand nombre que ceux de ce monde, le soleil
toutefois en regorge bien souvent, à cause que le peuple
pour être d'un tempérament fort chaud, est remuant,
ambitieux, et digère beaucoup.

« Ce que je vous dis ne vous doit pas sembler une
chose étonnante, car, quoique notre globe soit très vaste
et le vôtre petit, quoique nous ne mourions qu'après
quatre mille ans, et vous après un demi-siècle, apprenez
que tout de même qu'il n'y a pas tant de cailloux que de
terre, ni tant d'insectes que de plantes, ni tant d'animaux
que d'insectes, ni tant d'hommes que d'animaux; qu'ainsi
il n'y doit pas avoir tant de démons que d'hommes, à
cause des difficultés qui se rencontrent à la génération
d'un composé si parfait. »

Je lui demandai s'ils étaient des corps comme nous; il
me répondit que oui, qu'ils étaient des corps, mais non
pas comme nous, ni comme aucune chose que nous esti-
mions telle; parce que nous n'appelons vulgairement
« corps » que ce qui peut être touché; qu'au reste il n'y
avait rien en la nature qui ne fût matériel, et que, quoiqu'ils le fussent eux-mêmes, ils étaient contraints, quand
ils voulaient se faire voir à nous, de prendre des corps
proportionnés à ce que nos sens sont capables de connaître. Je l'assurai que ce qui avait fait penser à beaucoup de monde que les histoires qui se contaient d'eux
n'étaient qu'un effet de la rêverie des faibles, procédait de
ce qu'ils n'apparaissent que de nuit. Il me répliqua que,
comme ils étaient contraints de bâtir eux-mêmes à la hâte
les corps dont il fallait qu'ils se servissent, ils n'avaient bien
souvent le temps de les rendre propres qu'à choir seulement dessous un sens, tantôt l'ouïe comme les voix des
oracles, tantôt la vue comme les ardants et les spectres;
tantôt le toucher comme les incubes et les cauchemars, et

que cette masse n'étant qu'air épaissi de telle ou telle
façon, la lumière par sa chaleur les détruisait, ainsi
qu'on voit qu'elle dissipe un brouillard en le dilatant.

Tant de belles choses qu'il m'expliquait me donnèrent la curiosité de l'interroger sur sa naissance et sur
sa mort, si au pays du soleil l'individu venait au jour par
les voies de génération, et s'il mourait par le désordre
de son tempérament, ou la rupture de ses organes.

— Il y a trop peu de rapport, dit-il, entre vos sens et
l'explication de ces mystères. Vous vous imaginez, vous
autres, que ce que vous ne sauriez comprendre est spirituel, ou qu'il n'est point; la conséquence est très
fausse, mais c'est un témoignage qu'il y a dans l'univers
un million peut-être de choses qui, pour être connues,
demanderaient en nous un million d'organes tous différents. Moi, par exemple, je conçois par mes sens la cause
de la sympathie de l'aimant avec le pôle, celle du reflux
de la mer, ce que l'animal devient après la mort; vous
autres ne sauriez donner jusqu'à ces hautes conceptions
à cause que les proportions à ces miracles vous manquent,
non plus qu'un aveugle-né ne saurait s'imaginer ce que
c'est que la beauté d'un paysage, le coloris d'un tableau,
les nuances de l'iris; ou bien il se les figurera tantôt
comme quelque chose de palpable, tantôt comme un
manger, tantôt comme un son, tantôt comme une odeur.
Tout de même, si je voulais vous expliquer ce que je
perçois par les sens qui vous manquent, vous vous le
représenteriez comme quelque chose qui peut être ouï,
vu, touché, fleuré, ou savouré, et ce n'est rien cependant
de tout cela.

Il en était là de son discours quand mon bateleur
s'aperçut que la chambrée commençait à s'ennuyer de
notre jargon qu'ils n'entendaient point, et qu'ils prenaient pour un grognement non articulé. Il se remit de
plus belle à tirer ma corde pour me faire sauter, jusqu'à
ce que les spectateurs étant soûls de rire et d'assurer
que j'avais presque autant d'esprit que les bêtes de leur
pays, ils se retirèrent à leur maison.

J'adoucissais ainsi la dureté des mauvais traitements
de mon maître par les visites que me rendait cet officieux
démon; car de m'entretenir avec d'autres, outre qu'ils
me prenaient pour un animal des mieux enracinés dans
la catégorie des brutes, ni je ne savais leur langue, ni eux
n'entendaient pas la mienne, et jugez ainsi quelle proportion; vous saurez que deux idiomes sont usités en

ce pays, l'un sert aux grands, l'autre est particulier pour
le peuple.

Celui des grands n'est autre chose qu'une différence
de tons non articulés, à peu près semblable à notre
musique, quand on n'a pas ajouté les paroles. Et certes
c'est une invention tout ensemble bien utile et bien
agréable; car quand ils sont las de parler, ou quand ils
dédaignent de prostituer leur gorge à cet usage, ils
prennent tantôt un luth, tantôt un autre instrument, dont
ils se servent aussi bien que de la voix à se communiquer
leurs pensées; de sorte que quelquefois ils se rencontre-
ront jusqu'à quinze ou vingt de compagnie, qui agiteront
un point de théologie, ou les difficultés d'un procès, par
un concert le plus harmonieux dont on puisse chatouiller
l'oreille.

Le second, qui est en usage chez le peuple, s'exécute
par les trémoussements des membres, mais non pas
peut-être comme on se le figure, car certaines parties du
corps signifient un discours tout entier. L'agitation par
exemple d'un doigt, d'une main, d'une oreille, d'une
lèvre, d'un bras, d'une joue, feront chacun en particulier
une oraison ou une période avec tous ces membres.
D'autres ne servent qu'à désigner des mots, comme un
pli sur le front, les divers frissonnements des muscles, les
renversements des mains, les battements de pied, les
contorsions de bras; de façon qu'alors qu'ils parlent,
avec la coutume qu'ils ont prise d'aller tout nus, leurs
membres, accoutumés à gesticuler leurs conceptions, se
remuent si dru, qu'il ne semble pas d'un homme qui
parle, mais d'un corps qui tremble.

Presque tous les jours le démon me venait visiter, et
ses miraculeux entretiens me faisaient passer sans ennui
les violences de ma captivité. Enfin, un matin, je vis
entrer dans ma loge un homme que je ne connaissais
point, qui, m'ayant fort longtemps léché, m'engueula
doucement par l'aisselle, et, de l'une des pattes dont il
me soutenait de peur que je ne me blessasse, me jeta
sur son dos, où je me trouvai assis si mollement et si à
mon aise, qu'avec l'affliction que me faisait sentir un
traitement de bête, il ne me prit aucune envie de me
sauver, et puis ces hommes-là qui marchent à quatre
pieds vont bien d'une autre vitesse que nous, puisque les
plus pesants attrapent les cerfs à la course.

Je m'affligeais cependant outre mesure de n'avoir
point de nouvelles de mon courtois démon, et le soir de

la première traite, arrivé que je fus au gîte, je me promenais dans la cuisine du cabaret en attendant que le manger fût prêt, lorsque voici mon porteur dont le visage était fort jeune et assez beau qui me vient rire auprès du nez, et jeter à mon cou ses deux pieds de devant. Après que je l'eus quelque temps considéré :

— Quoi ? me dit-il en français, vous ne connaissez plus votre ami ?

Je vous laisse à penser ce que je devins alors. Certes ma surprise fut si grande, que dès lors je m'imaginai que tout le globe de la lune, tout ce qui m'y était arrivé, et tout ce que j'y voyais, n'était qu'enchantement; et cet homme-bête qui m'avait servi de monture continua de me parler ainsi :

— Vous m'aviez promis que les bons offices que je vous rendrais ne vous sortiraient jamais de la mémoire.

Moi, je lui proteste que je ne l'avais jamais vu.

Enfin il me dit :

— Je suis ce démon de Socrate qui vous ai diverti pendant le temps de votre prison. Je partis hier selon ce que je vous avais promis pour aller avertir le Roi de votre désastre et j'ai fait trois cents lieues en dix-huit heures car je suis arrivé céans à midi pour vous attendre, mais...

— Mais, l'interrompis-je, comment tout cela se peut-il faire, vu que vous étiez hier d'une taille extrêmement longue, et qu'aujourd'hui vous êtes très court; que vous aviez hier une voix faible et cassée, et qu'aujourd'hui vous en avez une claire et vigoureuse; qu'hier enfin vous étiez un vieillard tout chenu, et que vous n'êtes aujourd'hui qu'un jeune homme ? Quoi donc! au lieu qu'en mon pays on chemine de la naissance à la mort, les animaux de celui-ci vont-ils de la mort à la naissance, et rajeunit-on à force de vieillir ?

— Sitôt que j'eus parlé au prince, me dit-il, après avoir reçu l'ordre de vous amener je sentis le corps que j'informais si fort atténué de lassitude, que tous les organes refusaient leurs fonctions. Je m'enquis du chemin de l'hôpital, j'y fus et, dès que j'entrai dans la première chambre, je trouvai un jeune homme qui venait de rendre l'esprit. Je m'approchai du corps et, feignant d'y avoir reconnu quelque mouvement, je protestai à tous les assistants qu'il n'était point mort, que sa maladie n'était pas même dangereuse et adroitement, sans être aperçu, je m'inspirai dedans par un souffle. Mon vieux

cadavre tomba aussitôt à la renverse; moi, dans ce jeune,
je me levai; on cria miracle et moi, sans arraisonner
personne, je recourus promptement chez votre bateleur,
où je vous ai pris.

Il m'en eût conté davantage si on ne nous fût venu
quérir pour nous mettre à table; mon conducteur me
mena dans une salle magnifiquement meublée, mais
je ne vis rien de préparé pour manger. Une si grande
solitude de viande, lorsque je périssais de faim m'obligea de lui demander où c'était qu'on avait dressé. Je
n'écoutai point ce qu'il me répondit, car trois ou quatre
jeunes garçons, enfants de l'hôte, s'approchèrent de
moi dans cet instant, qui avec beaucoup de civilité me
dépouillèrent jusqu'à la chemise. Cette nouvelle façon
de cérémonie m'étonna si fort que je n'en osai pas
seulement demander la cause à mes beaux valets de
chambre, et je ne sais comment, à mon guide, qui
s'enquit par où je voulais commencer, je pus répondre
ces deux mots : « Un potage ». Aussitôt je sentis l'odeur
du plus succulent mitonné qui frappa jamais le nez du
mauvais riche. Je voulus me lever de ma place pour
chercher du naseau la source de cette agréable fumée,
mais mon porteur m'en empêcha :

— Où voulez-vous aller ? me dit-il, tantôt nous sortirons
à la promenade, mais maintenant il est saison de manger,
achevez votre potage, et puis nous ferons venir autre chose.

— Et où diantre est ce potage ? lui criai-je tout en
colère; avez-vous fait gageure de vous moquer tout
aujourd'hui de moi ?

— Je pensais, me répliqua-t-il, que vous eussiez vu à
la ville d'où nous venons votre maître, ou quelque autre,
prendre ses repas; c'est pourquoi je ne vous avais point
entretenu de la façon de se nourrir en ce pays. Puis donc
que vous l'ignorez encore, sachez qu'on ne vit ici que
de fumée. L'art de la cuisinerie est de renfermer dans
de grands vaisseaux moulés exprès l'exhalaison qui sort
des viandes, et en ayant ramassé de plusieurs sortes et de
différents goûts, selon l'appétit de ceux que l'on traite,
on débouche le vaisseau où cette odeur est assemblée,
on en découvre après cela un autre, puis un autre, ensuite,
jusqu'à ce que la compagnie soit tout à fait repue. A
moins que vous n'ayez déjà vécu de cette sorte, vous ne
croirez jamais que le nez, sans dents et sans gosier, fasse
pour nourrir l'homme l'office de sa bouche, mais je m'en
vais vous le faire voir par expérience.

Il n'eut pas plutôt achevé que je sentis entrer successivement dans la salle tant d'agréables vapeurs, et si nourrissantes, qu'en moins de demi-quart d'heure je me sentis tout à fait rassasié. Quand nous fûmes levés :

— Ceci n'est pas, dit-il, une chose qui vous doive causer beaucoup d'admiration, puisque vous ne pouvez pas avoir tant vécu sans observer qu'en votre monde les cuisiniers et les pâtissiers qui mangent moins que les personnes d'une autre vacation sont pourtant bien plus gras. D'où procède leur embonpoint, si ce n'est de la fumée des viandes dont sans cesse ils sont environnés, qui pénètre leurs corps et les nourrit ? Aussi les personnes de ce monde-ci jouissent d'une santé bien moins interrompue et plus vigoureuse, à cause que la nourriture n'engendre presque point d'excréments, qui sont l'origine de quasi toutes les maladies. Vous avez possible été surpris lorsque avant le repas on vous a déshabillé, parce que cette coutume n'est pas usitée en votre pays; mais c'est la mode de celui-ci et l'on s'en sert afin que l'animal soit plus transpirable à la fumée.

— Monsieur, lui repartis-je, il y a très grande apparence à ce que vous dites, et je viens moi-même d'en expérimenter quelque chose; mais je vous avouerai que, ne pouvant pas me débrutaliser si promptement, je serais bien aise de sentir un morceau palpable sous mes dents.

Il me le promit, et toutefois ce fut pour le lendemain, à cause, disait-il, que de manger si tôt après le repas me produirait quelque indigestion. Nous discourûmes encore quelque temps, puis nous montâmes à la chambre pour nous coucher.

Un homme au haut de l'escalier se présenta à nous, qui, nous ayant envisagés fort attentivement, me mena dans un cabinet, dont le plancher était couvert de fleurs d'orange à la hauteur de trois pieds, et mon démon dans un autre rempli d'œillets et de jasmins; il me dit, voyant que je paraissais étonné de cette magnificence, que c'était la mode des lits du pays. Enfin nous nous couchâmes chacun dans notre cellule; et dès que je fus étendu sur mes fleurs, j'aperçus, à la lueur d'une trentaine de gros vers luisants enfermés dans un cristal (car on ne se sert point d'une chandelle) ces trois ou quatre jeunes garçons qui m'avaient déshabillé à souper, dont l'un se mit à me chatouiller les pieds, l'autre les cuisses, l'autre les flancs, l'autre les bras, et tous avec tant de mignoteries et de délicatesse qu'en moins d'un moment je me sentis assoupir.

Je vis entrer le lendemain mon démon avec le soleil et :
« Je vous tiens parole, me dit-il; vous déjeunerez plus
solidement que vous ne soupâtes hier. »

A ces mots, je me levai, et il me conduisit par la main,
derrière le jardin du logis, où l'un des enfants de l'hôte
nous attendait avec une arme à la main, presque semblable
à nos fusils. Il demanda à mon guide si je voulais une
douzaine d'alouettes, parce que les magots (il me prenait pour tel) se nourrissaient de cette viande. A peine
eus-je répondu oui que le chasseur décharge en l'air
un coup de feu, et vingt ou trente alouettes churent à
nos pieds toutes cuites. Voilà, m'imaginai-je aussitôt, ce
qu'on dit par proverbe en notre monde d'un pays où
les alouettes tombent toutes rôties! Sans doute quelqu'un
était revenu d'ici.

— Vous n'avez qu'à manger, me dit mon démon; ils
ont l'industrie de mêler parmi la composition qui tue,
plume et rôtit le gibier les ingrédients dont il le faut
assaisonner.

J'en ramassai quelques-unes, dont je mangeai sur sa
parole, et en vérité je n'ai jamais en ma vie rien goûté
de si délicieux.

Après ce déjeuner nous nous mîmes en état de partir,
et avec mille grimaces dont ils se servent quand ils
veulent témoigner de l'affection, l'hôte reçut un papier de
mon démon. Je lui demandai si c'était une obligation
pour la valeur de l'écot. Il me repartit que non; qu'il ne
lui devait plus rien, et que c'étaient des vers.

— Comment, des vers ? lui répliquai-je, les taverniers
sont donc curieux en rimes ?

— C'est, me répondit-il, la monnaie du pays, et la
dépense que nous venons de faire céans s'est trouvée
monter à un sixain que je lui viens de donner. Je ne
craignais pas de demeurer court; car quand nous ferions
ici ripaille pendant huit jours, nous ne saurions dépenser
un sonnet, et j'en ai quatre sur moi, avec deux épi-
grammes, deux odes et une églogue.

— Ha! vraiment, dis-je en moi-même, voilà justement la monnaie dont Sorel fait servir Hortensius dans
*Francion*, je m'en souviens. C'est là sans doute, qu'il l'a
dérobé; mais de qui diable peut-il l'avoir appris ? Il
faut que ce soit de sa mère, car j'ai ouï dire qu'elle était
lunatique.

J'interrogeai mon démon ensuite si ces vers monnayés

servaient toujours, pourvu qu'on les transcrivît; il me répondit que non, et continua ainsi :

« Quand on en a composé, l'auteur les porte à la Cour des monnaies, où les poètes jurés du royaume font leur résidence. Là ces versificateurs officiers mettent les pièces à l'épreuve, et si elles sont jugées de bon aloi, on les taxe non pas selon leur poids, mais selon leur pointe, et de cette sorte, quand quelqu'un meurt de faim, ce n'est jamais qu'un buffle, et les personnes d'esprit font toujours grande chère. »

J'admirais, tout extasié, la police judicieuse de ce pays-là, et il poursuivit de cette façon :

— Il y a encore d'autres personnes qui tiennent cabaret d'une manière bien différente. Lorsque vous sortez de chez eux, ils vous demandent à proportion des frais un acquit pour l'autre monde; et dès qu'on le leur a abandonné, ils écrivent dans un grand registre qu'ils appellent les comptes de Dieu, à peu près ainsi : « Item, la valeur de tant de vers délivrés un tel jour, à un tel que Dieu me doit rembourser aussitôt l'acquit reçu du premier fonds qui se trouvera »; lorsqu'ils se sentent malades en danger de mourir, ils font hacher ces registres en morceaux, et les avalent, parce qu'ils croient que, s'ils n'étaient ainsi digérés, Dieu ne les pourrait pas lire.

Cet entretien n'empêchait pas que nous ne continuassions de marcher, c'est-à-dire mon porteur à quatre pattes sous moi et moi à califourchon sur lui. Je ne particulariserai point davantage les aventures qui nous arrêtèrent sur le chemin, tant y a que nous arrivâmes enfin où le Roi fait sa résidence. Je fus mené droit au palais. Les grands me reçurent avec des admirations plus modérées que n'avait fait le peuple quand j'étais passé dans les rues. Leur conclusion néanmoins fut semblable, à savoir que j'étais sans doute la femelle du petit animal de la Reine. Mon guide me l'interprétait ainsi; et cependant lui-même n'entendait point cette énigme, et ne savait qui était ce petit animal de la Reine; mais nous en fûmes bientôt éclaircis, car le Roi, quelque temps après, commanda qu'on l'amenât. A une demi-heure de là je vis entrer, au milieu d'une troupe de singes qui portaient la fraise et le haut-de-chausses un petit homme bâti presque tout comme moi, car il marchait à deux pieds; sitôt qu'il m'aperçut, il m'aborda par un *criado de nuestra mercede*. Je lui ripostai sa révérence à peu près en mêmes termes. Mais, hélas ils ne nous eurent pas

plutôt vus parler ensemble qu'ils crurent tous le préjugé
véritable; et cette conjoncture n'avait garde de produire
un autre succès, car celui de tous les assistants qui opi-
nait pour nous avec plus de faveur protestait que notre
entretien était un grognement que la joie d'être rejoints
par un instinct naturel nous faisait bourdonner.

Ce petit homme me conta qu'il était européen, natif
de la Vieille Castille, qu'il avait trouvé moyen avec des
oiseaux de se faire porter jusqu'au monde de la lune
où nous étions à présent; qu'étant tombé entre les mains
de la Reine, elle l'avait pris pour un singe, à cause qu'ils
habillent, par hasard, en ce pays-là, les singes à l'espagnole, et que, l'ayant à son arrivée trouvé vêtu de cette
façon, elle n'avait point douté qu'il ne fût de l'espèce.

— Il faut bien dire, lui répliquai-je, qu'après leur
avoir essayé toutes sortes d'habits, ils n'en ont point
rencontré de plus ridicule et que c'était pour cela qu'ils
les équipent de la sorte, n'entretenant ces animaux que
pour se donner du plaisir.

— Ce n'est pas connaître, dit-il, la dignité de notre
nation en faveur de qui l'univers ne produit des hommes
que pour nous donner des esclaves, et pour qui la nature
ne saurait engendrer que des matières de rire.

Il me supplia ensuite de lui apprendre comment je
m'étais osé hasarder de gravir à la lune avec la machine
dont je lui avais parlé; je lui répondis que c'était à cause
qu'il avait emmené les oiseaux sur lesquels j'y pensais
aller. Il sourit de cette raillerie, et environ un quart
d'heure après le Roi commanda aux gardeurs de singes
de nous ramener, avec ordre exprès de nous faire coucher
ensemble, l'Espagnol et moi, pour faire en son royaume
multiplier notre espèce.

On exécuta de point en point la volonté du prince, de
quoi je fus très aise pour le plaisir que je recevais d'avoir
quelqu'un qui m'entretînt pendant la solitude de ma
brutification. Un jour, mon mâle (car on me tenait pour
la femelle) me conta que ce qui l'avait véritablement
obligé de courir toute la terre, et enfin de l'abandonner
pour la lune, était qu'il n'avait pu trouver un seul pays
où l'imagination même fût en liberté.

— Voyez-vous, me dit-il, à moins de porter un bonnet
carré, un chaperon ou une soutane, quoi que vous puissiez dire de beau, s'il est contre les principes de ces docteurs de drap, vous êtes un idiot, un fou, ou un athée.
On m'a voulu mettre en mon pays à l'Inquisition pour

ce qu'à la barbe des pédants aheurtés j'avais soutenu qu'il y avait du vide dans la nature et que je ne connaissais point de matière au monde plus pesante l'une que l'autre.

Je lui demandai de quelles probabilités il appuyait une opinion si peu reçue.

— Il faut, me répondit-il, pour en venir à bout, supposer qu'il n'y a qu'un élément; car, encore que nous voyions de l'eau, de l'air et du feu séparés, on ne les trouve jamais pourtant si parfaitement purs qu'ils ne soient encore engagés les uns avec les autres. Quand, par exemple, vous regardez du feu, ce n'est pas du feu, ce n'est rien que de l'air beaucoup étendu, l'air n'est que de l'eau fort dilatée, l'eau n'est que de la terre qui se fond, et la terre elle-même n'est autre chose que de l'eau beaucoup resserrée; et ainsi à pénétrer sérieusement la matière, vous trouverez qu'elle n'est qu'une, qui, comme une excellente comédienne, joue ici-bas toutes sortes de personnages, sous toutes sortes d'habits. Autrement il faudrait admettre autant d'éléments qu'il y a de sortes de corps, et si vous me demandez pourquoi donc le feu brûle et l'eau refroidit, vu que ce n'est qu'une même matière, je vous réponds que cette matière agit par sympathie, selon la disposition où elle se trouve dans le temps qu'elle agit. Le feu, qui n'est rien que de la terre encore plus répandue qu'elle ne l'est pour constituer l'air, tâche à changer en elle par sympathie ce qu'elle rencontre. Ainsi la chaleur du charbon, étant le feu le plus subtil et le plus propre à pénétrer un corps, se glisse entre les pores de notre masse, nous fait dilater au commencement, parce que c'est une nouvelle matière qui nous remplit, nous fait exhaler en sueur; cette sueur étendue par le feu se convertit en fumée et devient air; cet air encore davantage fondu par la chaleur de l'antipéristase, ou des astres qui l'avoisinent, s'appelle feu, et la terre abandonnée par le froid et par l'humide qui liaient toutes nos parties tombe en terre. L'eau d'autre part, quoiqu'elle ne diffère de la matière du feu qu'en ce qu'elle est plus serrée, ne nous brûle pas, à cause qu'étant serrée elle demande par sympathie à resserrer les corps qu'elle rencontre, et le froid que nous sentons n'est autre chose que l'effet de notre chair qui se replie sur elle-même par le voisinage de la terre ou de l'eau qui la contraint de lui ressembler. De là vient que les hydropiques remplis d'eau changent en eau toute la nourriture

qu'ils prennent; de là vient que les bilieux changent en
bile tout le sang que forme leur foie. Supposé donc qu'il
n'y ait qu'un seul élément, il est certissime que tous les
corps, chacun selon sa quantité, inclinent également au
centre de la terre.

Mais vous me demanderez pourquoi donc l'or, le fer,
les métaux, la terre, le bois, descendent plus vite à ce
centre qu'une éponge, si ce n'est à cause qu'elle est pleine
d'air qui tend naturellement en haut ? Ce n'est point
du tout la raison, et voici comment je vous réponds :
Quoiqu'une roche tombe avec plus de rapidité qu'une
plume, l'une et l'autre ont même inclination pour ce
voyage; mais un boulet de canon, par exemple, s'il trouvait la terre percée à jour se précipiterait plus vite à son
cœur qu'une vessie grosse de vent; et la raison est que
cette masse de métal est beaucoup de terre recognée en
un petit canton, et que ce vent est fort peu de terre étendue en beaucoup d'espace; car toutes les parties de la
matière qui loge dans ce fer, embrassées qu'elles sont
les unes aux autres, augmentent leur force par l'union,
à cause que, s'étant resserrées, elles se trouvent à la fin
beaucoup à combattre contre peu, vu qu'une parcelle
d'air, égale en grosseur au boulet, n'est pas égale en
quantité, et qu'ainsi, pliant sous le faix de gens plus
nombreux qu'elle et aussi hâtés, elle se laisse enfoncer
pour leur laisser le chemin libre.

Sans prouver ceci par une enfilure de raisons, comment, par votre foi, une pique, une épée, un poignard,
nous blessent-ils si ce n'est à cause que l'acier étant une
matière où les parties sont plus proches et plus enfoncées
les unes dans les autres que non pas votre chair, dont les
pores et la mollesse montrent qu'elle contient fort peu de
terre répandue en un grand lieu, et que la pointe de
fer qui nous pique étant une quantité presque innom-
brable de matière contre fort peu de chair, il la contraint
de céder au plus fort, de même qu'un escadron bien pressé
pénètre une face entière de bataille qui est de beaucoup
d'étendue, car pourquoi une loupe d'acier embrasée est-
elle plus chaude qu'un tronçon de bois allumé ? si ce
n'est qu'il y a plus de feu dans la loupe en peu d'espace,
y en ayant d'attaché à toutes les parties du morceau de
métal que dans le bâton qui, pour être fort spongieux,
enferme par conséquent beaucoup de vide, et que le
vide, n'étant qu'une privation de l'être, ne peut pas être
susceptible de la forme du feu. Mais, m'objecterez-vous,

vous supposez du vide comme si vous l'aviez prouvé, et c'est cela dont nous sommes en dispute! Eh bien, je vais donc vous le prouver, et quoique cette difficulté soit la sœur du nœud gordien, j'ai les bras assez bons pour en devenir l'Alexandre.

Qu'il me réponde donc, je l'en supplie, cet hébété vulgaire qui ne croit être homme que parce qu'un docteur lui a dit. Supposé qu'il n'y ait qu'une matière, comme je pense l'avoir assez prouvé, d'où vient qu'elle se relâche et se restreint selon son appétit? d'où vient qu'un morceau de terre, à force de se condenser, s'est fait caillou? Est-ce que les parties de ce caillou se sont placées les unes dans les autres en telle sorte que, là où s'est fiché ce grain de sablon, là même et dans le même point loge un autre grain de sablon? Non, cela ne se peut, et selon leur principe même puisque les corps ne se pénètrent point; mais il faut que cette matière se soit rapprochée, et, si vous le voulez, raccourcie en remplissant le vide de sa maison.

De dire que cela n'est pas compréhensible qu'il y eût du rien dans le monde, que nous fussions en partie composés de rien : hé! pourquoi non? Le monde entier n'est-il pas enveloppé de rien? Puisque vous m'avouez cet article, confessez donc qu'il est aussi aisé que le monde ait du rien dedans soi qu'autour de soi.

Je vois fort bien que vous me demandez pourquoi donc l'eau restreinte par la gelée dans un vase le fait crever, si ce n'est pour empêcher qu'il se fasse du vide? Mais je réponds que cela n'arrive qu'à cause que l'air de dessus qui tend aussi bien que la terre et l'eau au centre, rencontrant sur le droit chemin de ce pays une hôtellerie vacante, y va loger; s'il trouve les pores de ce vaisseau, c'est-à-dire les chemins qui conduisent à cette chambre de vide trop étroits, trop longs et trop tortus, il satisfait en le brisant à son impatience pour arriver plus tôt au gîte.

Mais, sans m'amuser à répondre à toutes leurs objections, j'ose bien dire que s'il n'y avait point de vide il n'y aurait point de mouvement, ou il faut admettre la pénétration des corps, car il serait trop ridicule de croire que, quand une mouche pousse de l'aile une parcelle d'air, cette parcelle en fait reculer devant elle une autre, cette autre encore une autre, et qu'ainsi l'agitation du petit orteil d'une puce allât faire une bosse derrière le monde. Quand ils n'en peuvent plus, ils ont recours à la raréfac-

tion; mais, par leur foi, comme se peut-il faire quand
un corps se raréfie, qu'une particule de la masse s'éloigne
d'une autre particule, sans laisser ce milieu vide ? N'aurait-il pas fallu que ces deux corps qui se viennent de
séparer eussent été en même temps au même lieu où
était celui-ci, et que de la sorte ils se fussent pénétrés
tous trois ? Je m'attends bien que vous me demanderez
pourquoi donc par un chalumeau, une seringue ou une
pompe, on fait monter l'eau contre son inclination : mais
je vous répondrai qu'elle est violentée, et que ce n'est
pas la peur qu'elle a du vide qui l'oblige à se détourner
de son chemin, mais qu'étant jointe avec l'air d'une
nuance imperceptible, elle s'élève quand on élève en
haut l'air qui la tient embrassée.

Cela n'est pas fort épineux à comprendre pour qui
connaît le cercle parfait et la délicate enchaînure des éléments; car, si vous considérez attentivement ce limon
qui fait le mariage de la terre et de l'eau, vous trouverez
qu'il n'est plus terre, qu'il n'est plus eau, mais qu'il est
l'entremetteur du contrat de ces deux ennemis; l'eau
tout de même avec l'air s'envoient réciproquement un
brouillard qui penche aux humeurs de l'un et de l'autre
pour moyenner leur paix, et l'air se réconcilie avec le feu
par le moyen d'une exhalaison médiatrice qui les unit.

Je pense qu'il voulait encore parler; mais on nous
apporta notre mangeaille, et parce que nous avions faim,
je fermai les oreilles et lui la bouche pour ouvrir l'estomac.

Il me souvient qu'une autre fois, comme nous philo-
sophions, car nous n'aimions guère ni l'un ni l'autre à
nous entretenir de choses frivoles et basses :

— Je suis bien fâché, dit-il, de voir un esprit de la
trempe du vôtre infecté des erreurs du vulgaire. Il faut
donc que vous sachiez, malgré le pédantisme d'Aristote,
dont retentissent aujourd'hui toutes les classes de votre
France, que tout est en tout, c'est-à-dire que dans l'eau
par exemple, il y a du feu; dedans le feu, de l'eau;
dedans l'air, de la terre, et dedans la terre, de l'air.
Quoique cette opinion fasse écarquiller les yeux aux
scolares, elle est plus aisée à prouver qu'à persuader.
Je leur demande premièrement si l'eau n'engendre pas
du poisson; quand ils me le nieront, je leur ordonnerai
de creuser un fossé, le remplir du sirop de l'aiguière,
qu'ils passeront encore s'ils veulent à travers un bluteau
pour échapper aux objections des aveugles; et je veux,
en cas qu'ils n'y trouvent du poisson dans quelque

temps, avaler toute l'eau qu'ils y auront versée, mais
s'ils y en trouvent, comme je n'en doute point, c'est une
preuve convaincante qu'il y a du sel et du feu. Par conséquent, de trouver ensuite de l'eau dans le feu ce n'est
pas une entreprise fort difficile. Car qu'ils choisissent le
feu même le plus détaché de la matière comme les
comètes. Il y en a toujours, et beaucoup, puisque si
cette humeur onctueuse dont ils sont engendrés, réduite
en soufre par la chaleur de l'antipéristase qui les allume,
ne trouvait un obstacle à sa violence dans l'humide froi-
deur qui la tempère et la combat, elle se consommerait
brusquement comme un éclair. Qu'il y ait maintenant
de l'air dans la terre, ils ne le nieront pas, ou bien ils
n'ont jamais entendu parler des frissons effroyables
dont les montagnes de Sicile ont été si souvent agitées.
Outre cela, nous voyons la terre toute poreuse, jusqu'aux
grains de sablon qui la composent. Cependant personne
n'a dit encore que ces creux fussent remplis de vide : on
ne trouvera donc pas mauvais que l'air y fasse son domicile. Il me reste à prouver que dans l'air il y a de la terre,
mais je n'en daigne quasi pas prendre la peine, puisque
vous en êtes convaincu autant de fois que vous voyez
battre sur vos têtes ces légions d'atomes si nombreuses
qu'elles en étouffent l'arithmétique.

Mais passons des corps simples aux composés : ils me
fourniront des sujets beaucoup plus fréquents pour
montrer que toutes choses sont en toutes choses, non
point qu'elles se changent les unes aux autres, comme le
gazouillent vos péripatéticiens ; car je veux soutenir à
leur barbe que les principes se mêlent, se séparent et se
remêlent derechef en telle sorte que ce qui a une fois
été fait eau par le sage Créateur du monde le sera toujours ; je ne suppose point, à leur mode, de maxime que
je ne prouve.

C'est pourquoi prenez, je vous prie, une bûche ou
quelque autre matière combustible, et mettez-y le feu :
ils diront, eux, quand elle sera embrasée, que ce qui
était bois est devenu feu. Mais je leur soutiens que non,
moi, et qu'il n'y a point davantage de feu maintenant
qu'elle est tout en flammes, que tantôt auparavant qu'on
en eût approché l'allumette ; mais celui qui était caché
dans la bûche que le froid et l'humide empêchaient de
s'étendre et d'agir, secouru par l'étranger, a rallié ses
forces contre le flegme qui l'étouffait, et s'est emparé du
champ qu'occupait son ennemi ; aussi se montre-t-il sans

obstacles et triomphant de son geôlier. Ne voyez-vous
pas comme l'eau s'enfuit par les deux bouts du tronçon,
chaude et fumante encore du combat qu'elle a rendu ?
Cette flamme que vous voyez en haut est le feu le plus
subtil, le plus dégagé de la matière, et le plus tôt prêt
par conséquent à retourner chez soi. Il s'unit pourtant
en pyramide jusqu'à certaine hauteur pour enfoncer
l'épaisse humidité de l'air qui lui résiste; mais, comme
il vient en montant à se dégager peu à peu de la violente
compagnie de ses hôtes, alors il prend le large parce qu'il
ne rencontre plus rien d'antipathique à son passage, et
cette négligence est bien souvent la cause d'une seconde
prison; car, lui qui chemine séparé s'égarera quelquefois dans un nuage. S'ils s'y rencontrent, d'autres feux
en assez grand nombre pour faire tête à la vapeur, ils se
joignent, ils grondent, ils tonnent, ils foudroient, et la
mort des innocents est bien souvent l'effet de la colère
animée des choses mortes. Si, quand il se trouve embarrassé dans ces crudités importunes de la moyenne région,
il n'est pas assez fort pour se défendre, il s'abandonne à
la discrétion de la nue qui, contrainte par sa pesanteur
de retomber en terre, y mène son prisonnier avec elle,
et ce malheureux, enfermé dans une goutte d'eau, se
rencontrera peut-être au pied d'un chêne, de qui le feu
animal invitera ce pauvre égaré de se loger avec lui.
Ainsi le voilà recouvrant le même sort dont il était parti
quelques jours auparavant.

Mais voyons la fortune des autres éléments qui
composaient cette bûche. L'air se retire à son quartier
encore pourtant mêlé de vapeurs, à cause que le feu
tout en colère les a brusquement chassés pêle-mêle. Le
voilà donc qui sert de ballon aux vents, fournit aux animaux de respiration, remplis le vide que la nature fait,
et possible encore que, s'étant enveloppé dans une
goutte de rosée, il sera sucé et digéré par les feuilles altérées de cet arbre, où s'est retiré notre feu. L'eau que la
flamme avait chassée de ce trône, élevée par la chaleur
jusqu'au berceau des météores, retombera en pluie sur
notre chêne aussi tôt que sur un autre, et la terre devenue
cendre, guérie de sa stérilité par la chaleur nourrissante
d'un fumier où on l'aura jetée, par le sel végétatif de
quelques plantes voisines, par l'eau féconde des rivières,
se rencontrera peut-être près de ce chêne qui, par la
chaleur de son germe, l'attirera, et en fera une partie
de son tout.

« De cette façon voilà ces quatre éléments qui recouvrent le même sort dont ils étaient partis quelques jours auparavant. De cette façon, dans un homme il y a tout ce qu'il faut pour composer un arbre, de cette façon dans un arbre il y a tout ce qu'il faut pour composer un homme. Enfin de cette façon toutes choses se rencontrent en toutes choses; mais il nous manque un Prométhée pour faire cet extrait. »

Voilà les choses à peu près dont nous amusions le temps; et véritablement ce petit Espagnol avait l'esprit joli. Notre entretien n'était que la nuit, à cause que dès six heures du matin jusqu'au soir la grande foule de monde qui nous venait contempler à notre logis nous eût détournés; d'aucuns nous jetaient des pierres, d'autres des noix, d'autres de l'herbe. Il n'était bruit que des bêtes du Roi.

On nous servait tous les jours à manger à nos heures, et le Roi et la Reine prenaient plaisir eux-mêmes assez souvent en la peine de me tâter le ventre pour connaître si je n'emplissais point, car ils brûlaient d'une envie extraordinaire d'avoir de la race de ces petits animaux. Je ne sais si ce fut pour avoir été plus attentif que mon mâle à leurs simagrées et à leurs tons; tant y a que j'appris à entendre leur langue et l'écorcher un peu. Aussitôt les nouvelles coururent par tout le royaume qu'on avait trouvé deux hommes sauvages, plus petits que les autres, à cause des mauvaises nourritures que la solitude nous avait fournies, et qui, par un défaut de la semence de leurs pères, n'avaient pas eu les jambes de devant assez fortes pour s'appuyer dessus.

Cette créance allait prendre racine à force de cheminer, sans les prêtres du pays qui s'y opposèrent, disant que c'était une impiété épouvantable de croire que non seulement des bêtes, mais des monstres fussent de leur espèce.

Il y aurait bien plus d'apparence, ajoutaient les moins passionnés, que nos animaux domestiques participassent au privilège de l'humanité et de l'immortalité par conséquent, à cause qu'ils sont nés dans notre pays, qu'une bête monstrueuse qui se dit née je ne sais où dans la lune; et puis considérez la différence qui se remarque entre nous et eux. Nous autres, nous marchons à quatre pieds, parce que Dieu ne se voulut pas fier d'une chose si précieuse à une moins ferme assiette; il eut peur qu'il arrivât fortune de l'homme; c'est pourquoi il prit lui-

même la peine de l'asseoir sur quatre piliers, afin qu'il ne
pût tomber ; mais dédaigna de se mêler de la construction
de ces deux brutes, il les abandonna au caprice de la
nature, laquelle, ne craignant pas la perte de si peu de
chose, ne les appuya que sur deux pattes.

Les oiseaux même, disaient-ils, n'ont pas été si mal-
traités qu'elles, car au moins ils ont reçu des plumes
pour subvenir à la faiblesse de leurs pieds, et se jeter en
l'air quand nous les éconduirions de chez nous ; au lieu
que la nature en ôtant les deux pieds à ces monstres les
a mis en état de ne pouvoir échapper à notre justice.

Voyez un peu outre cela comme ils ont la tête tournée
devers le ciel ! C'est la disette où Dieu les a mis de
toutes choses qui les a situés de la sorte, car cette posture suppliante témoigne qu'ils cherchent au ciel pour se
plaindre à Celui qui les a créés, et qu'ils lui demandent permission de s'accommoder de nos restes. Mais nous autres
nous avons la tête penchée en bas pour contempler les
biens dont nous sommes seigneurs, et comme n'y ayant rien
au ciel à qui notre heureuse condition puisse porter envie.

J'entendais tous les jours, à ma loge, les prêtres faire
ces contes-là ou de semblables ; enfin ils bridèrent si
bien la conscience des peuples sur cet article qu'il fut
arrêté que je ne passerais tout au plus que pour un
perroquet plumé ; ils confirmaient les persuadés sur ce que
non plus qu'un oiseau je n'avais que deux pieds. On me
mit donc en cage par ordre exprès du Conseil d'en haut.

Là tous les jours l'oiseleur de la Reine prenait le soin
de me venir siffler la langue comme on fait ici aux
sansonnets, j'étais heureux à la vérité en ce que ma
volière ne manquait point de mangeaille. Cependant
parmi les sornettes dont les regardants me rompaient
les oreilles, j'appris à parler comme eux. Quand je fus
assez rompu dans l'idiome pour exprimer la plupart de
mes conceptions, j'en contai des plus belles. Déjà les
compagnies ne s'entretenaient plus que de la gentillesse
de mes bons mots, et l'estime qu'on faisait de mon
esprit vint jusque-là que le clergé fut contraint de faire
publier un arrêt, par lequel on défendait de croire que
j'eusse de la raison, avec un commandement très exprès
à toutes personnes de quelque qualité et condition
qu'elles fussent, de s'imaginer, quoi que je pusse faire
de spirituel, que c'était l'instinct qui me le faisait faire.

Cependant la définition de ce que j'étais partagea la
ville en deux factions. Le parti qui soutenait en ma

faveur grossissait tous les jours. Enfin en dépit de l'ana-
thème et de l'excommunication des prophètes qui
tâchaient par là d'épouvanter le peuple, mes sectateurs
demandèrent une assemblée des Etats, pour résoudre
cet accroc de religion. On fut longtemps sur le choix
de ceux qui opineraient; mais les arbitres pacifièrent
l'animosité par le nombre des intéressés qu'ils égalèrent.
On me porta tout brandi dans la salle de justice où je fus
sévèrement traité des examinateurs. Ils m'interrogèrent
entre autres choses de philosophie : je leur exposai
tout à la bonne foi ce que jadis mon régent m'en avait
appris, mais ils ne mirent guère à me la réfuter par
beaucoup de raisons très convaincantes à la vérité. Quand
je me vis tout à fait convaincu, j'alléguai pour dernier
refuge les principes d'Aristote qui ne me servirent pas
davantage que ces sophismes; car en deux mots ils
m'en découvrirent la fausseté. Aristote, me dirent-ils,
accommodait des principes à sa philosophie, au lieu d'accommoder sa philosophie aux principes. Encore, ces
principes, les devait-il prouver au moins plus raisonnables que ceux des autres sectes, ce qu'il n'a pu faire.
C'est pourquoi le bon homme ne trouvera pas mauvais
si nous lui baisons les mains.

Enfin comme ils virent que je ne leur clabaudais autre
chose, sinon qu'ils n'étaient pas plus savants qu'Aristote,
et qu'on m'avait défendu de discuter contre ceux qui
niaient les principes, ils conclurent tous d'une commune
voix que je n'étais pas un homme, mais possible quelque
espèce d'autruche, vu que je portais comme elle la tête
droite, de sorte qu'il fut ordonné à l'oiseleur de me
reporter en cage. J'y passais mon temps avec assez de
plaisir, car à cause de leur langue que je possédais correc-
tement, toute la cour se divertissait à me faire jaser.
Les filles de la Reine entre autres fourraient toujours
quelque bribe dans mon panier; et la plus gentille de
toutes avait conçu quelque amitié pour moi. Elle était
si transportée de joie lorsque, étant en secret, je lui
découvrais les mystères de notre religion, et principalement quand je lui parlais de nos cloches et de nos
reliques, qu'elle me protestait les larmes aux yeux que
si jamais je me trouvais en état de revoler à notre monde,
elle me suivrait de bon cœur.

Un jour de grand matin, je m'éveillai en sursaut, je la
vis qui tambourinait contre les bâtons de ma cage :

— Réjouissez-vous, me dit-elle, hier dans le Conseil
on conclut la guerre contre le grand roi ⟨⟩ J'espère
parmi l'embarras des préparatifs, cependant que notre
monarque et ses sujets seront éloignés, faire naître l'occasion de vous sauver.

— Comment, la guerre ? l'interrompis-je aussitôt.
Arrive-t-il des querelles entre les princes de ce monde
ici comme entre ceux du nôtre ? Hé ! je vous prie, exposez
moi leur façon de combattre.

— Quand les arbitres, reprit-elle, élus au gré des
deux parties, ont désigné le temps accordé pour l'arme-
ment, celui de la marche, le nombre des combattants, le
jour et le lieu de la bataille, et tout cela avec tant d'égalité
qu'il n'y a pas dans une armée un seul homme plus que
dans l'autre, les soldats estropiés d'un côté sont tous
enrôlés dans une compagnie, et lorsqu'on en vient aux
mains, les maréchaux de camp ont soin de les opposer
aux estropiés de l'autre côté, les géants ont en tête les
colosses ; les escrimeurs, les adroits ; les vaillants, les
courageux ; les débiles, les faibles ; les indisposés, les
malades ; les robustes, les forts ; et si quelqu'un entre-
prenait de frapper un autre que son ennemi désigné, à
moins qu'il pût justifier que c'était par méprise, il est
condamné de couard. Après la bataille donnée on compte
les blessés, les morts, les prisonniers ; car pour de fuyards,
il ne s'en voit point ; si les pertes se trouvent égales de part
et d'autre, ils tirent à la courte paille à qui se proclamera
victorieux.

Mais encore qu'un roi eût défait son ennemi de bonne
guerre, ce n'est encore rien fait, car il y a d'autres armées
peu nombreuses de savants et d'hommes d'esprit, des
disputes desquelles dépend entièrement le vrai triomphe
ou la servitude des Etats.

Un savant est opposé à un autre savant, un spirituel
à un autre spirituel, et un judicieux à un autre judicieux.
Au reste le triomphe que remporte un Etat en cette façon
est compté pour trois victoires à force ouverte. La
nation proclamée victorieuse, on rompt l'assemblée, et le
peuple vainqueur choisit pour être son roi ou celui des
ennemis ou le sien.

Je ne pus m'empêcher de rire de cette façon scrupu-
leuse de donner des batailles ; et j'alléguais pour exemple
d'une bien plus forte politique les coutumes de notre
Europe, où le monarque n'avait garde d'omettre aucun de
ses avantages pour vaincre ; et voici comme elle me parla :

— Apprenez-moi, me dit-elle, vos princes ne pré-
textent-ils leurs armements que du droit de force ?

— Si fait, lui répliquai-je, de la justice de leur cause.

— Pourquoi donc, continua-t-elle, ne choisissent-ils
des arbitres non suspects pour être accordés ? Et s'il se
trouve qu'ils aient autant de droit l'un que l'autre, qu'ils
demeurent comme ils étaient, ou qu'ils jouent en un
cent de piquet la ville ou la province dont ils sont en
dispute ? Et cependant qu'ils font casser la tête à plus
de quatre millions d'hommes qui valent mieux qu'eux,
ils sont dans leur cabinet à goguenarder sur les circonstances du massacre de ces badauds. Mais je me trompe
de blâmer ainsi la vaillance de vos braves sujets : ils font
bien de mourir pour leur patrie ; l'affaire est importante,
car il s'agit d'être le vassal d'un roi qui porte une fraise
ou de celui qui porte un rabat.

— Mais vous, lui repartis-je, pourquoi toutes ces circonstances en votre façon de combattre ? Ne suffit-il pas
que les armées soient pareilles en nombre d'hommes ?

— Vous n'avez guère de jugement, me répondit-elle.
Croiriez-vous, par votre foi, ayant vaincu sur le pré
votre ennemi seul à seul, l'avoir vaincu de bonne guerre,
si vous étiez maillé et lui non ; s'il n'avait qu'un poignard,
et vous une estocade ; enfin, s'il était manchot, et que
vous eussiez deux bras ?

— Cependant avec toute l'égalité que vous recom-
mandez tant à vos gladiateurs, ils ne se battent jamais
pareils, car l'un sera de grande, l'autre de petite taille ;
l'un sera adroit, l'autre n'aura jamais manié d'épée ; l'un
sera robuste, l'autre faible ; et quand même ces disproportions seraient égalées, qu'ils seraient aussi grands, aussi
adroits et aussi forts l'un que l'autre, encore ne seraient-ils
pas pareils, car l'un des deux aura peut-être plus de courage
que l'autre ; et sous ombre que ce brutal ne considérera
pas le péril, qu'il sera bilieux, et qu'il aura plus de sang,
qu'il aura le cœur plus serré, avec toutes ces qualités qui
font le courage, comme si ce n'était pas, aussi bien
qu'une épée, une arme que son ennemi n'a point, il
s'ingère de se ruer éperdument sur lui, de l'effrayer, et
d'ôter la vie à ce pauvre homme qui prévoit le danger,
dont la chaleur est étouffée dans la pituite, de qui le
cœur est trop vaste pour unir les esprits nécessaires à
dissiper cette glace qu'on nomme poltronnerie. Ainsi
vous louez cet homme d'avoir tué son ennemi avec avantage, et, le louant de hardiesse, vous le louez d'un péché

contre nature, puisque la hardiesse tend à sa destruction.

— Vous saurez qu'il y a quelques années qu'on fit une remontrance au Conseil de guerre, pour apporter un règlement plus circonspect et plus consciencieux dans les combats, car le philosophe qui donnait l'avis parlait ainsi :

« Vous vous imaginez, Messieurs, avoir bien égalé les avantages des deux ennemis, quand vous les avez choisis tous deux raides, tous deux grands, tous deux adroits, tous deux pleins de courage; mais ce n'est pas encore assez, puisqu'il faut enfin que le vainqueur surmonte par adresse, par force ou par fortune. Si ç'a été par adresse, il a frappé sans doute son adversaire par un endroit où il ne l'attendait pas, ou plus vite qu'il n'était vraisemblable; ou, feignant de l'attaquer d'un côté, il l'a assailli de l'autre. Tout cela, c'est affiner, c'est tromper, c'est trahir. Or la finesse, la tromperie, la trahison ne doivent pas faire l'estime d'un véritable généreux. S'il a triomphé par force, estimerez-vous son ennemi vaincu, puisqu'il a été violenté ? Non, sans doute, non plus que vous ne direz pas qu'un homme ait perdu la victoire, encore qu'il soit accablé de la chute d'une montagne, parce qu'il n'a pas été en puissance de la gagner. Tout de même celui-là n'a point été surmonté, à cause qu'il ne s'est pas trouvé dans ce moment disposé à pouvoir résister aux violences de son adversaire. Si ç'a été par hasard qu'il a terrassé son ennemi, c'est la fortune et non pas lui que l'on doit couronner : il n'y a rien contribué; et enfin le vaincu n'est non plus blâmable que le joueur de dés, qui sur dix-sept points en voit faire dix-huit. »

On lui confessa qu'il avait raison, mais qu'il était impossible, selon les apparences humaines, d'y mettre ordre, et qu'il valait mieux subir un petit inconvénient que de s'abandonner à mille de plus grande importance.

Elle ne m'entretint pas cette fois davantage, parce qu'elle craignait d'être trouvée toute seule avec moi, et si matin. Ce n'est pas qu'en ce pays l'impudicité soit un crime; au contraire, hors les coupables convaincus, tout homme a pouvoir sur toute femme, et une femme tout de même pourrait appeler un homme en justice qui l'aurait refusée. Mais elle ne m'osait pas fréquenter publi-

quement à ce qu'elle me dit, à cause que les prêtres
avaient prêché au dernier sacrifice que c'étaient les
femmes principalement qui publiaient que j'étais homme,
afin de couvrir sous ce prétexte le désir exécrable qui les
brûlait de se mêler aux bêtes, et de commettre avec moi
sans vergogne des péchés contre nature. Cela fut cause
que je demeurai longtemps sans la voir, ni pas une du sexe.

Cependant il fallait bien que quelqu'un eût réchauffé
les querelles de la définition de mon être, car comme je
ne songeais plus qu'à mourir en cage, on me vint quérir
encore une fois, pour me donner audience. Je fus donc
interrogé, en présence de force courtisans sur quelque
point de physique, et mes réponses, à ce que je crois,
satisfirent aucunement, car, d'un accent non magistral,
celui qui présidait m'exposa fort au long ses opinions
sur la structure du monde. Elles me semblèrent ingé-
nieuses; et sans qu'il passât jusqu'à son origine qu'il
soutenait éternelle, j'eusse trouvé sa philosophie beaucoup plus raisonnable que la nôtre. Mais sitôt que je
l'entendis soutenir une rêverie si contraire à ce que la
foi nous apprend, je lui demandai ce qu'il pourrait
répondre à l'autorité de Moïse et que ce grand patriarche
avait dit expressément que Dieu l'avait créé en six jours.
Cet ignorant ne fit que rire au lieu de me répondre. Je
ne pus alors m'empêcher de lui dire que, puisqu'il en
venait là, je commençais à croire que leur monde n'était
qu'une lune. « Mais, me dirent-ils tous, vous y voyez
de la terre, des forêts, des rivières, des mers, que serait-ce
donc tout cela ?

— N'importe, repartis-je, Aristote assure que ce n'est
que la lune; et si vous aviez dit le contraire dans les
classes où j'ai fait mes études, on vous aurait sifflé. »

Il se fit sur cela un grand éclat de rire. Il ne faut pas
demander si ce fut de leur ignorance et l'on me recon-
duisit dans ma cage.

Les prêtres, cependant, furent avertis que j'avais osé
dire que la lune était un monde dont je venais, et que
leur monde n'était qu'une lune. Ils crurent que cela
leur fournissait un prétexte assez juste pour me faire
condamner à l'eau : c'était la façon d'exterminer les
athées. Ils vont en corps à cette fin faire leur plainte au
Roi qui leur promet justice; on ordonne que je serais
remis sur la sellette.

Me voilà donc décagé pour la troisième fois; le grand
pontife prit la parole et plaida contre moi. Je ne me sou-

viens pas de sa harangue, à cause que j'étais trop épouvanté pour recevoir les espèces de la voix sans désordre,
et parce aussi qu'il s'était servi pour déclamer d'un instrument dont le bruit m'étourdissait : c'était une trom-
pette qu'il avait tout exprès choisie, afin que la violence
de ce ton martial échauffât leurs esprits à ma mort, et
afin d'empêcher par cette émotion que le raisonnement
ne pût faire son office, comme il arrive dans nos armées,
où ce tintamarre de trompettes et de tambours empêche
le soldat de réfléchir sur l'importance de sa vie.

Quand il eut dit, je me levai pour défendre ma cause,
mais j'en fus délivré de la peine par une aventure que
vous allez entendre. Comme j'avais déjà la bouche ouverte,
un homme, qui avait eu grande difficulté à traverser la
foule, vint choir aux pieds du Roi, et se traîna longtemps
sur le dos. Cette façon de faire ne me surprit pas, car
je savais bien dès longtemps que c'était la posture où ils
se mettaient quand ils voulaient discourir en public. Je
rengainai seulement ma harangue, et voici celle que nous
eûmes de lui :

« Justes, écoutez-moi ! vous ne sauriez condamner cet
homme, ce singe, ou ce perroquet, pour avoir dit que
la lune était un monde d'où il venait ; car s'il est homme,
quand même il ne serait pas venu de la lune, puisque
tout homme est libre, ne lui est-il pas libre de s'imaginer
ce qu'il voudra ? Quoi ! pouvez-vous le contraindre à
n'avoir que vos visions ? Vous le forcerez bien à dire qu'il
croit que la lune n'est pas un monde, mais il ne le croira
pas pourtant ; car pour croire quelque chose, il faut qu'il se
présente à son imagination certaines possibilités plus
grandes au oui qu'au non de cette chose ; ainsi, à moins
que vous ne lui fournissiez ce vraisemblable, ou qu'il
n'y vienne de soi-même s'offrir à son esprit, il vous dira
bien qu'il croit, mais il ne croira pas pour cela.

« J'ai maintenant à vous prouver qu'il ne doit pas être
condamné, si vous le posez dans la catégorie des bêtes.

« Car supposez qu'il soit animal sans raison, quelle
raison vous-même avez-vous de l'accuser d'avoir péché
contre elle ? Il a dit que la lune était un monde ; or les
brutes n'agissant que par un instinct de nature ; donc
c'est la nature qui le dit, et non pas lui. De croire maintenant que cette savante nature qui a fait et la lune et ce
monde-ci ne sache elle-même ce que c'est et que vous

autres, qui n'avez de connaissance que ce que vous
en tenez d'elle, le sachiez plus certainement, cela serait
bien ridicule. Mais quand même la passion vous faisant
renoncer à vos premiers principes, vous supposeriez que
la nature ne guidât point les brutes, rougissez à tout le
moins des inquiétudes que vous causent les cabrioles
d'une bête. En vérité, Messieurs, si vous rencontriez un
homme d'âge mûr qui veillât à la police d'une fourmilière,
pour tantôt donner un soufflet à la fourmi qui aurait fait
choir sa compagne, tantôt en emprisonner une qui aurait
dérobé à sa voisine un grain de blé, tantôt mettre en
justice une autre qui aurait abandonné ses œufs, ne l'esti-
meriez-vous pas insensé de vaquer à des choses trop au-
dessous de lui, et de prétendre assujettir à la raison des
animaux qui n'en ont pas l'usage ? Comment donc,
vénérables pontifes, appellerez-vous l'intérêt que vous
prenez aux cabrioles de ce petit animal ? Justes, j'ai dit. »

Dès qu'il eut achevé, une forte musique d'applau-
dissements fit retentir toute la salle; et après que les
opinions eurent été débattues un gros quart d'heure, voici
ce que le Roi prononça :

« Que dorénavant je serais censé homme, comme tel
mis en liberté, et que la punition d'être noyé serait modi-
fiée en une amende honteuse (car il n'en est point en
ce pays-là d'honorable); dans laquelle amende je me
dédirais publiquement d'avoir enseigné que la lune était
un monde, et ce à cause du scandale que la nouveauté
de cette opinion aurait pu causer dans l'âme des faibles. »
Cet arrêt prononcé, on m'enlève hors du palais, on
m'habille par ignominie fort magnifiquement, on me
porte sur la tribune d'un superbe chariot; et traîné que
je fus par quatre princes qu'on avait attachés au joug,
voici ce qu'ils m'obligèrent de prononcer à tous les
carrefours de la ville :

« Peuple, je vous déclare que cette lune ici n'est pas
une lune, mais un monde; et que ce monde de là-bas
n'est point un monde, mais une lune. Tel est ce que les
Prêtres trouvent bon que vous croyiez. »

Après que j'eus crié la même chose aux cinq grandes
places de la cité, j'aperçus mon avocat qui me tendait
la main pour m'aider à descendre. Je fus bien étonné de

reconnaître, quand je l'eus envisagé, que c'était mon
ancien démon. Nous fûmes une heure à nous embrasser :

— Et venez-vous-en, me dit-il, chez moi, car de
retourner en cour après une amende honteuse, vous n'y
seriez pas vu de bon œil. Au reste, il faut que je vous dise
que vous seriez encore avec les singes, aussi bien que
l'Espagnol, votre compagnon, si je n'eusse publié dans
les compagnies la vigueur et la force de votre esprit, et
brigué contre les prophètes, en votre faveur, la protection
des grands.

La fin de mes remerciements nous vit entrer chez lui;
il m'entretint jusqu'au repas des ressorts qu'il avait fait
jouer pour contraindre les prêtres, malgré tous les plus
spécieux scrupules dont ils avaient embabouiné la conscience du peuple de lui permettre de m'ouïr. Nous étions
assis devant un grand feu à cause que la saison était
froide et il allait poursuivre à me raconter (je pense) ce
qu'il avait fait pendant que je ne l'avais point vu, mais
on nous vint dire que le souper était prêt.

— J'ai prié, continua-t-il, pour ce soir deux professeurs d'académie de cette ville de venir manger avec
nous. Je les ferai tomber, sur la philosophie qu'ils
enseignent en ce monde-ci, par même moyen vous
verrez le fils de mon hôte. C'est un jeune homme autant
plein d'esprit que j'en aie jamais rencontré et ce serait
un second Socrate s'il pouvait régler ses lumières et ne
point étouffer dans le vice les grâces dont Dieu continuellement le visite, et ne plus affecter l'impiété par
ostentation. Je me suis logé céans pour épier les occasions
de l'instruire.

Il se tut comme pour me laisser à mon tour la liberté
de discourir; puis il fit signe qu'on me dévêtît les honteux ornements dont j'étais encore tout brillant.

Les deux professeurs que nous attendions entrèrent
presque aussitôt, nous fûmes tous quatre ensemble dans
le cabinet du souper où nous trouvâmes ce jeune garçon
dont il m'avait parlé qui mangeait déjà. Ils lui firent de
grandes usalades, et le traitèrent d'un respect aussi pro-
fond que d'esclave à seigneur; j'en demandai la cause à
mon démon, qui me répondit que c'était à cause de son
âge, parce qu'en ce monde-là les vieux rendaient toute
sorte d'honneur et de déférence aux jeunes; bien plus,
que les pères obéissaient à leurs enfants aussitôt que, par
l'avis du Sénat des philosophes, ils avaient atteint l'usage
de raison.

— Vous vous étonnez, continua-t-il, d'une coutume
si contraire à celle de votre pays ? elle ne répugne point
toutefois à la droite raison; car en conscience, dites-moi,
quand un homme jeune et chaud est en force d'imaginer, de juger et d'exécuter, n'est-il pas plus capable de
gouverner une famille qu'un infirme sexagénaire. Ce
pauvre hébété dont la neige de soixante hivers a glacé
l'imagination se conduit sur l'exemple des heureux succès et cependant c'est la fortune qui les a rendus tels
contre toutes les règles et toute l'économie de la prudence humaine ? Pour du jugement, il en a aussi peu,
quoique le vulgaire de votre monde en fasse un apanage
à la vieillesse; et pour le désabuser, il faut qu'il sache
que ce qu'on appelle en un vieillard prudence n'est
qu'une appréhension panique, une peur enragée de rien
entreprendre qui l'obsède. Ainsi, mon fils, quand il n'a
pas risqué un danger où un jeune homme s'est perdu,
ce n'est pas qu'il en préjugeât la catastrophe, mais il
n'avait pas assez de feu pour allumer ces nobles élans qui
nous font oser, et l'audace en ce jeune homme était
comme un gage de la réussite de son dessein, parce que
cette ardeur qui fait la promptitude et la facilité d'une
exécution était celle qui le poussait à l'entreprendre.
Pour ce qui est d'exécuter, je ferais tort à votre esprit
de m'efforcer à le convaincre de preuves. Vous savez
que la jeunesse seule est propre à l'action; et si vous
n'en êtes pas tout à fait persuadé, dites-moi, je vous prie,
quand vous respectez un homme courageux, n'est-ce pas
à cause qu'il vous peut venger de vos ennemis ou de vos
oppresseurs ? Pourquoi donc le considérez-vous encore,
si ce n'est par habitude quand un bataillon de septante
janviers a gelé son sang et tué de froid tous les nobles
enthousiasmes dont les jeunes personnes sont échauffées
pour la justice ? Lorsque vous déférez au fort, n'est-ce
pas afin qu'il vous soit obligé d'une victoire que vous ne
lui sauriez disputer ? Pourquoi donc vous soumettre à
lui, quand la paresse a fondu ses muscles, débilité ses
artères, évaporé ses esprits, et sucé la moelle de ses os!
Si vous adoriez une femme, n'était-ce pas à cause de sa
beauté ? Pourquoi donc continuer vos génuflexions
après que la vieillesse en a fait un fantôme à menacer
les vivants de la mort ? Enfin lorsque vous honoriez un
homme spirituel, c'était à cause que par la vivacité de
son génie il pénétrait une affaire mêlée et la débrouillait,
qu'il défrayait par son bien dire l'assemblée du plus haut

carat, qu'il digérait les sciences d'une seule pensée et que jamais une belle âme ne forma de plus violents désirs que pour lui ressembler. Et cependant vous lui continuez vos hommages, quand ses organes usés rendent sa tête imbécile et pesante, et lorsqu'en compagnie, il ressemble plutôt par son silence la statue d'un dieu foyer qu'un homme capable de raison.

Concluez par là, mon fils, qu'il vaut mieux que les jeunes gens soient pourvus du gouvernement des familles que les vieillards. Certes, vous seriez bien faible de croire qu'Hercule, Achille, Epaminondas, Alexandre et César, qui sont tous morts au deçà de quarante ans, fussent des personnes à qui on ne devait que des honneurs vulgaires, et qu'à un vieux radoteur, parce que le soleil a quatre-vingt-dix fois épié sa moisson, vous lui deviez de l'encens.

Mais, direz-vous, toutes les lois de notre monde font retentir avec soin ce respect qu'on doit aux vieillards ? Il est vrai, mais aussi tous ceux qui ont introduit ces lois ont été des vieillards qui craignaient que les jeunes ne les dépossédassent justement de l'autorité qu'ils avaient extorquée et ont fait comme les législateurs aux fausses religions un mystère de ce qu'ils n'ont pu prouver.

Oui, mais, direz-vous, ce vieillard est mon père et le Ciel me promet une longue vie si je l'honore. Si votre père, ô mon fils, ne vous ordonne rien de contraire aux inspirations du Très-Haut, je vous l'avoue; autrement marchez sur le ventre du père qui vous engendra, trépignez sur le sein de la mère qui vous conçut, car de vous imaginer que ce lâche respect que des parents vicieux ont arraché de votre faiblesse soit tellement agréable au Ciel qu'il en allonge pour cela vos fusées, je n'y vois guère d'apparence. Quoi! Ce coup de chapeau dont vous chatouillez et nourrissez la superbe de votre père crève-t-il un abcès que vous avez dans le côté, répare-t-il votre humide radical, fait-il la cure d'une estocade à travers votre estomac, vous casse-t-il une pierre dans la vessie ? Si cela est, les médecins ont grand tort : au lieu de potions infernales dont ils empestent la vie des hommes, qu'ils n'ordonnent pour la petite vérole trois révérences à jeun, quatre « grand merci » après dîner, et douze « bonsoir, mon père et ma mère » avant que s'endormir. Vous me répliquerez que, sans lui, vous ne seriez pas; il est vrai, mais aussi lui-même sans votre grand-père n'aurait jamais été, ni

votre grand-père sans votre bisaïeul, ni sans vous, votre
père n'aurait pas de petit-fils. Lorsque la nature le mit
au jour, c'était à condition de rendre ce qu'elle lui prê-
tait; ainsi quand il vous engendra, il ne vous donna rien,
il s'acquitta! Encore je voudrais bien savoir si vos parents
songeaient à vous quand ils vous firent. Hélas, point du
tout! Et toutefois vous croyez leur être obligé d'un présent qu'ils vous ont fait sans y penser. Comment! parce
que votre père fut si paillard qu'il ne put résister aux
beaux yeux de je ne sais quelle créature, qu'il en fit le
marché pour assouvir sa passion et que de leur patrouillis
vous fûtes le maçonnage, vous révérerez ce voluptueux
comme un des sept sages de Grèce! Quoi! parce que cet
autre avare acheta les riches biens de sa femme par la
façon d'un enfant, cet enfant ne lui doit parler qu'à
genoux? Ainsi votre père fit bien d'être ribaud et cet
autre d'être chiche, car autrement ni vous ni lui n'auriez
jamais été; mais je voudrais bien savoir si quand il eut
été certain que son pistolet eut pris un rat, s'il n'eût
point tiré le coup? Juste Dieu! qu'on en fait accroire
au peuple de votre monde.

Vous ne tenez, ô mon fils, que le corps de votre architecte mortel; votre âme part des cieux, qu'il pouvait
engainer aussi bien dans un autre fourreau. Votre père
serait possible né votre fils comme vous êtes né le sien.
Que savez-vous même s'il ne vous a point empêché
d'hériter d'un diadème? Votre esprit était peut-être
parti du ciel à dessein d'animer le roi des Romains au
ventre de l'Impératrice; en chemin, par hasard, il ren-
contra votre embryon; pour abréger son voyage, il s'y
logea. Non, non, Dieu ne vous eût point rayé du calcul
qu'il avait fait des hommes, quand votre père fût mort
petit garçon. Mais qui sait si vous ne seriez point aujour-
d'hui l'ouvrage de quelque vaillant capitaine, qui vous
aurait associé à sa gloire comme à ses biens. Ainsi peut-
être vous n'êtes non plus redevable à votre père de la
vie qu'il vous a donnée que vous le seriez au pirate
qui vous aurait mis à la chaîne, parce qu'il vous nour-
rirait. Et je veux même qu'il vous eût engendré roi;
un présent perd son mérite, lorsqu'il est fait sans le
choix de celui qui le reçoit. On donna la mort à César,
on la donna pareillement à Cassius; cependant Cassius
en est obligé à l'esclave dont il l'impétra, non pas
César à ses meurtriers, parce qu'ils le forcèrent de la
prendre. Votre père consulta-t-il votre volonté lorsqu'il

embrassa votre mère ? vous demanda-t-il si vous trouviez bon de voir ce siècle-là, ou d'en attendre un autre ?
si vous vous contenteriez d'être le fils d'un sot, ou si
vous auriez l'ambition de sortir d'un brave homme ?
Hélas ! vous que l'affaire concernait tout seul, vous étiez
le seul dont on ne prenait point l'avis ! Peut-être qu'alors,
si vous eussiez été enfermé autre part que dans la matrice
des idées de la nature, et que votre naissance eût été à
votre option, vous auriez dit à la Parque : « Ma chère
demoiselle, prends le fuseau d'un autre ; il y a fort
longtemps que je suis dans le rien, et j'aime mieux
demeurer encore cent ans à n'être pas que d'être aujour-
d'hui pour m'en repentir demain ! » Cependant il vous
fallut passer par là ; vous eûtes beau piailler pour retourner à la longue et noire maison dont on vous arrachait,
on faisait semblant de croire que vous demandiez à
téter.

Voilà, ô mon fils ! à peu près les raisons qui sont
cause du respect que les pères portent à leurs enfants ;
je sais bien que j'ai penché du côté des enfants plus que
la justice ne demande, et que j'ai parlé en leur faveur
un peu contre ma conscience. Mais, voulant corriger cet
insolent orgueil dont les pères bravent la faiblesse de
leurs petits, j'ai été obligé de faire comme ceux qui
veulent redresser un arbre tortu, ils le retortuent de
l'autre côté, afin qu'il revienne également droit entre les
deux contorsions. Ainsi j'ai fait restituer aux pères la
tyrannique déférence qu'ils avaient usurpée, et leur en
ai beaucoup dérobé qui leur appartenait, afin qu'une
autre fois ils se contentassent du leur. Je sais bien que
j'ai choqué, par cette apologie, tous les vieillards ; mais
qu'ils se souviennent qu'ils sont fils auparavant que
d'être pères, et qu'il est impossible que je n'aie parlé
fort à leur avantage, puisqu'ils n'ont pas été trouvés
sous une pomme de chou. Mais enfin, quoi qu'il puisse
arriver, quand mes ennemis se mettraient en bataille
contre mes amis, je n'aurai que du bon, car j'ai servi
tous les hommes, et n'en ai desservi que la moitié.

A ces mots il se tut, et le fils de notre hôte prit ainsi la
parole :

« Permettez-moi, lui dit-il, puisque je suis informé par
votre soin de l'origine, de l'histoire, des coutumes et de
la philosophie du monde de ce petit homme, que j'ajoute
quelque chose à ce que vous avez dit, et que je prouve
que les enfants ne sont point obligés à leurs pères de

leur génération, parce que leurs pères étaient obligés
en conscience de les engendrer.

« La philosophie de leur monde la plus étroite confesse
qu'il est plus à souhaiter de mourir, à cause que pour
mourir il faut avoir vécu, que de n'être point. Or, puisqu'en ne donnant pas l'être à ce rien, je le mets en un
état pire que la mort, je suis plus coupable de ne le pas
produire que de le tuer. Tu croirais, ô mon petit homme,
avoir fait un parricide indigne de pardon, si tu avais
égorgé ton fils; il serait énorme à la vérité; cependant il
est bien plus exécrable de ne pas donner l'être à qui
le peut recevoir; car cet enfant, à qui tu ôtes la lumière
a toujours eu la satisfaction d'en jouir quelque temps.
Encore nous savons qu'il n'en est privé que pour peu de
siècles; mais ces quarante pauvres petits riens, dont tu
pouvais faire quarante bons soldats à ton roi, tu les
empêches malicieusement de venir au jour, et les laisses
corrompre dans tes reins, au hasard d'une apoplexie qui
t'étouffera. Qu'on ne m'objecte point les beaux panégyriques de la virginité, cet honneur n'est qu'une fumée,
car enfin tous ces respects dont le vulgaire l'idolâtre ne
sont rien, même entre vous autres, que de conseil,
mais de ne pas tuer, mais de ne pas faire son fils, en ne
le faisant point, plus malheureux qu'un mort, c'est de
commandement. Pourquoi je m'étonne fort, vu que la
continence au monde d'où vous venez est tenue si préfé-
rable à la propagation charnelle, pourquoi Dieu ne vous
a pas fait naître à la rosée du mois de mai comme les
champignons, ou, tout au moins, comme les crocodiles
du limon gras de la terre échauffé par le soleil. Cependant il n'envoie point chez vous d'eunuques que par
accident, il n'arrache point les génitoires à vos moines, à
vos prêtres, ni à vos cardinaux. Vous me direz que la
nature les leur a données; oui, mais il est le maître de
la nature; et s'il avait reconnu que ce morceau fût nuisible à leur salut, il aurait commandé de le couper, aussi
bien que le prépuce aux Juifs dans l'ancienne loi. Mais
ce sont des visions trop ridicules. Par votre foi, y a-t-il
quelque place sur votre corps plus sacrée ou plus maudite
l'une que l'autre? Pourquoi commettrai-je un péché
quand je me touche par la pièce du milieu et non pas
quand je touche mon oreille ou mon talon? Est-ce à
cause qu'il y a du chatouillement? Je ne dois donc pas
me purger au bassin, car cela ne se fait point sans quelque
sorte de volupté; ni les dévots ne doivent pas non plus

s'élever à la contemplation de Dieu, car ils y goûtent un grand plaisir d'imagination. En vérité, je m'étonne, vu combien la religion de votre pays est contre nature et jalouse de tous les contentements des hommes, que vos prêtres n'ont fait un crime de se gratter, à cause de l'agréable douleur qu'on y sent; avec tout cela, j'ai remarqué que la prévoyante nature a fait pencher tous les grands personnages, et vaillants et spirituels, aux délicatesses de l'Amour, témoin Samson, David, Hercule, César, Annibal, Charlemagne; était-ce afin qu'ils se moissonnassent l'organe de ce plaisir d'un coup de serpe ? Hélas, elle alla jusque sous un cuvier à débaucher Diogène maigre, laid, et pouilleux, et le contraindre de composer, du vent dont il soufflait les carottes, des soupirs à Laïs. Sans doute elle en usa de la sorte pour l'appréhension qu'elle eut que les honnêtes gens ne manquassent au monde. Concluons de là que votre père était obligé en conscience de vous lâcher à la lumière, et quand il penserait vous avoir beaucoup obligé de vous faire en se chatouillant, il ne vous a donné au fond que ce qu'un taureau banal donne aux veaux tous les jours dix fois pour se réjouir.

— Vous avez tort, interrompit alors mon démon, de vouloir régenter la sagesse de Dieu. Il est vrai qu'il nous a défendu l'excès de ce plaisir, mais que savez-vous s'il ne l'a point voulu ainsi afin que les difficultés que nous trouverions à combattre cette passion nous fissent mériter la gloire qu'il nous prépare ? Mais que savez-vous si ce n'a point été pour aiguiser l'appétit par la défense ? Mais que savez-vous s'il ne prévoyait point qu'abandonnant la jeunesse aux impétuosités de la chair, le coït trop fréquent énerverait leur semence et marquerait la fin du monde aux arrière-neveux du premier homme ? Mais que savez-vous s'il ne voulut point empêcher que la fertilité de la terre ne manquât au besoin de tant d'affamés ? Enfin que savez-vous s'il ne l'a point voulu faire contre toute apparence de raison afin de récompenser justement ceux qui, contre toute apparence de raison, se seront fiés en sa parole ? »

Cette réponse ne satisfit pas, à ce que je crois, le petit hôte, car il en hocha deux ou trois fois la tête ; mais notre commun précepteur se tut parce que le repas était en impatience de s'envoler.

Nous nous étendîmes donc sur des matelas fort mollets, couverts de grands tapis où les fumées nous vinrent

trouver comme autrefois dedans l'hôtellerie. Un jeune
serviteur prit le plus vieux de nos deux philosophes pour
le conduire dans une petite salle séparée et :

— Revenez nous trouver ici, lui cria mon précepteur,
aussitôt que vous aurez mangé.

Il nous le promit.

Cette fantaisie de manger à part me donna la curiosité
d'en demander la cause :

— Il ne goûte point, me dit-on, de l'odeur de viande,
ni même de celle des herbes, si elles ne sont mortes
d'elles-mêmes, à cause qu'il les pense capables de douleur.

— Je ne m'ébahis pas tant, répliquai-je, qu'il s'abs-
tienne de la chair et de toutes choses qui ont eu vie
sensitive; car en notre monde les pythagoriciens, et
même quelques saints anachorètes, ont usé de ce régime;
mais de n'oser par exemple couper un chou de peur de
le blesser, cela me semble tout à fait risible.

— Et moi, répondit le démon, je trouve beaucoup
d'apparence à son opinion, car, dites-moi, ce chou dont
vous parlez n'est-il pas autant créature de Dieu que
vous ? N'avez-vous pas également tous deux pour père et
mère Dieu et la privation ? Dieu n'a-t-il pas eu, de toute
éternité, son intellect occupé de sa naissance aussi bien
que de la vôtre ? Encore semble-t-il qu'il ait pourvu
plus nécessairement à celle du végétant que du raisonnable, puisqu'il a remis la génération d'un homme aux
caprices de son père, qui pouvait pour son plaisir l'engendrer ou ne l'engendrer pas : rigueur dont cependant
il n'a pas voulu traiter avec le chou; car, au lieu de
remettre à la discrétion du père de germer le fils, comme
s'il eût appréhendé davantage que la race des choux
pérît que celle des hommes, il les contraint, bon gré
mal gré, de se donner l'être les uns aux autres, et non
pas ainsi que les hommes, qui tout au plus n'en sauraient
engendrer en leur vie qu'une vingtaine, ils en produisent, eux, des quatre cent mille par tête. De dire
pourtant que Dieu a plus aimé l'homme que le chou,
c'est que nous nous chatouillons pour nous faire rire;
étant incapable de passion, il ne saurait ni haïr ni aimer
personne; et, s'il était susceptible d'amour, il aurait
plutôt des tendresses pour ce chou que vous tenez, qui
ne saurait l'offenser, que pour cet homme dont il a déjà
devant les yeux les injures qu'il lui doit faire. Ajoutez
à cela qu'il ne saurait naître sans crime, étant une partie

du premier homme qui le rendit coupable; mais nous
savons fort bien que le premier chou n'offensa point son
Créateur au paradis terrestre.

Dira-t-on que nous sommes faits à l'image du Souverain Etre, et non pas les choux ? Quand il serait vrai,
nous avons, en souillant notre âme par où nous lui res-
semblions, effacé cette ressemblance, puisqu'il n'y a rien
de plus contraire à Dieu que le péché. Si donc notre
âme n'est plus son portrait, nous ne lui ressemblons pas
davantage par les mains, par les pieds, par la bouche,
par le front et par les oreilles, que le chou par ses feuilles,
par ses fleurs, par sa tige, par son trognon et par sa tête.
Ne croyez-vous pas en vérité, si cette pauvre plante
pouvait parler quand on la coupe, qu'elle ne dît :
« Homme, mon cher frère, que t'ai-je fait qui mérite la
mort ? Je ne croîs que dans tes jardins, et l'on ne me
trouve jamais en lieu sauvage où je vivrais en sûreté; je
dédaigne d'être l'ouvrage d'autres mains que les tiennes,
mais à peine en suis-je sorti que pour y retourner. Je
me lève de terre, je m'épanouis, je te tends les bras, je
t'offre mes enfants en graine, et pour récompense de ma
courtoisie, tu me fais trancher la tête! »

Voilà les discours que tiendrait ce chou s'il pouvait
s'exprimer. Hé! comme à cause qu'il ne saurait se
plaindre, est-ce dire que nous pouvons justement lui
faire tout le mal qu'il ne saurait empêcher ? Si je trouve
un misérable lié, puis-je sans crime le tuer, à cause qu'il
ne peut se défendre ? Au contraire, sa faiblesse aggrave-
rait ma cruauté; car combien que cette malheureuse créature soit pauvre et soit dénuée de tous nos avantages, elle
ne mérite pas la mort pour cela. Quoi! de tous les biens
de l'être, elle n'a que celui de végéter, et nous le lui
arrachons. Le péché de massacrer un homme n'est pas
si grand, parce qu'un jour il revivra, que de couper un
chou et lui ôter la vie, à lui qui n'en a point d'autre à
espérer. Vous anéantissez l'âme d'un chou en le faisant
mourir : mais, en tuant un homme, vous ne faites que
changer son domicile; et je dis bien plus : Puisque Dieu,
le Père commun de toutes choses, chérit également ses
ouvrages, n'est-il pas raisonnable qu'il ait partagé ses
bienfaits également entre nous et les plantes. Il est vrai
que nous naquîmes les premiers, mais dans la famille
de Dieu, il n'y a point de droit d'aînesse : si donc les
choux n'eurent point leur part avec nous du fief de
l'immortalité, ils furent sans doute avantagés de quelque

autre qui par sa grandeur récompense sa brièveté; c'est
peut-être un intellect universel, une connaissance parfaite de toutes les choses dans leurs causes, et c'est
peut-être aussi pour cela que ce sage moteur ne leur a
point taillé d'organes semblables aux nôtres, qui n'ont,
pour tout effet, qu'un simple raisonnement faible et
souvent trompeur, mais d'autres plus ingénieusement
travaillés, plus forts et plus nombreux, qui leur servent
à l'opération de leurs spéculatifs entretiens. Vous me
demanderez peut-être ce qu'ils nous ont jamais commu-
niqué de ces grandes pensées ? Mais, dites-moi, que
nous ont jamais enseigné les anges non plus qu'eux ?
Comme il n'y a point de proportion, de rapport ni d'harmonie entre les facultés imbéciles de l'homme et celles de
ces divines créatures, ces choux intellectuels auraient beau
s'efforcer de nous faire comprendre la cause occulte de
tous les événements merveilleux, il nous manque des
sens capables de recevoir ces hautes espèces.

Moïse, le plus grand de tous les philosophes, puisqu'il
puisait, à ce que vous dites, la connaissance de la nature
dans la source de la nature même, signifiait cette vérité,
lorsqu'il parla de l'Arbre de Science, il voulait nous
enseigner sous cette énigme que les plantes possèdent
privativement la philosophie parfaite. Souvenez-vous
donc, ô de tous les animaux le plus superbe! qu'encore
qu'un chou que vous coupez ne dise mot, il n'en pense
pas moins. Mais le pauvre végétant n'a pas des organes
propres à hurler comme nous; il n'en a pas pour frétiller
ni pour pleurer; il en a toutefois par lesquels il se plaint
du tour que vous lui faites, par lesquels il attire sur vous
la vengeance du Ciel. Que si vous me demandez comment je sais que les choux ont ces belles pensées, je vous
demande comment vous savez qu'ils ne les ont point, et
que tel, par exemple, à votre imitation ne dise pas le
soir en s'enfermant : « Je suis, monsieur le Chou Frisé,
votre très humble serviteur, CHOU CABUS. »

Il en était là de son discours, quand ce jeune garçon,
qui avait emmené notre philosophe, le ramena.

— Hé! quoi, déjà dîné ? lui cria mon Démon.

Il répondit que oui, à l'issue près, d'autant que le
physionome lui avait permis de tâter de la nôtre. Le
jeune hôte n'attendit pas que je lui demandasse l'explication de ce mystère :

— Je vois bien, dit-il, que cette façon de vivre vous

étonne. Sachez donc, quoique en votre monde on gouverne la santé plus négligemment, que le régime de
celui-ci n'est pas à mépriser.

Dans toutes les maisons, il y a un physionome, entretenu du public, qui est à peu près ce qu'on appellerait
chez vous un médecin, hormis qu'il ne gouverne que les
sains, et qu'il ne juge des diverses façons dont il nous
fait traiter que par la proportion, figure et symétrie de
nos membres, par les linéaments du visage, le coloris de
la chair, la délicatesse du cuir, l'agilité de la masse, le
son de la voix, la teinture, la force et la dureté du poil.
N'avez-vous point tantôt pris garde à un homme de
taille assez courte qui vous a si longtemps considéré ?
C'était le physionome de céans. Assurez-vous que, selon
qu'il aura reconnu votre complexion, il a diversifié
l'exhalaison de votre dîner. Remarquez combien le matelas
où l'on vous a fait coucher est éloigné de nos lits ; sans
doute il vous a jugé d'un tempérament bien différent du
nôtre, puisqu'il a craint que l'odeur qui s'évapore de
ces petits robinets sur votre nez ne s'épandît jusqu'à
nous, ou que la nôtre ne fumât jusqu'à vous. Vous le
verrez ce soir qui choisira des fleurs pour votre lit avec
les mêmes circonspections.

Pendant tout ce discours, je faisais signe à mon hôte
qu'il tâchât d'obliger ces philosophes à tomber sur
quelque chapitre de la science qu'ils professaient. Il
m'était trop ami pour n'en faire naître aussitôt l'occasion.
Je ne vous déduirai point ni les discours ni les prières
qui firent l'ambassade de ce traité, aussi bien la nuance
du ridicule au sérieux fut trop imperceptible pour pouvoir être imitée. Tant y a que le dernier venu de ces
docteurs, en suite d'autres choses, continua ainsi :

« Il me reste à prouver qu'il y a des mondes infinis
dans un monde infini. Représentez-vous donc l'univers
comme un grand animal, les étoiles qui sont des mondes
comme d'autres animaux dedans lui qui servent réciproquement de mondes à d'autres peuples, tels qu'à
nous, qu'aux chevaux et qu'aux éléphants et que nous, à
notre tour, sommes aussi les mondes de certaines gens
encore plus petits, comme des chancres, des poux, des
vers, des cirons ; ceux-ci sont la terre d'autres imperceptibles ; ainsi de même que nous paraissons un grand
monde à ce petit peuple, peut-être que notre chair, notre
sang et nos esprits ne sont autre chose qu'une tissure de
petits animaux qui s'entretiennent, nous prêtent mouve-

ment par le leur, et, se laissant aveuglément conduire à notre volonté qui leur sert de cocher, nous conduisent nous-mêmes, et produisent tout ensemble cette action que nous appelons la vie.

Car, dites-moi, je vous prie : est-il malaisé à croire qu'un pou prenne notre corps pour un monde, et que quand quelqu'un d'eux a voyagé depuis l'une de vos oreilles jusqu'à l'autre, ses compagnons disent de lui qu'il a voyagé aux deux bouts du monde, ou qu'il a couru de l'un à l'autre pôle ? Oui, sans doute, ce petit peuple prend votre poil pour les forêts de son pays, les pores pleins de pituite pour des fontaines, les bubes et les cirons pour des lacs et des étangs, les apostumes pour des mers, les fluxions pour des déluges; et quand vous vous peignez en devant et en arrière, ils prennent cette agitation pour le flux et reflux de l'océan.

La démangeaison ne prouve-t-elle pas mon dire ? Ce ciron qui la produit, est-ce autre chose qu'un de ces petits animaux qui s'est dépris de la société civile pour s'établir tyran de son pays ? Si vous me demandez d'où vient qu'ils sont plus grands que ces autres petits imperceptibles, je vous demande pourquoi les éléphants sont plus grands que nous, et les Hibernois que les Espagnols ? Quant à cette ampoule et cette croûte dont vous ignorez la cause, il faut qu'elles arrivent, ou par la corruption des charognes de leurs ennemis que ces petits géants ont massacrés, ou que la peste produite par la nécessité des aliments dont les séditieux se sont gorgés ait laissé pourrir parmi la campagne des monceaux de cadavres; ou que ce tyran, après avoir tout autour de soi chassé ses compagnons qui de leurs corps bouchaient les pores du nôtre, ait donné passage à la pituite, laquelle, étant extravasée hors la sphère de la circulation de notre sang, s'est corrompue. On me demandera peut-être pourquoi un ciron en produit cent autres ? Ce n'est pas chose malaisée à concevoir; car, de même qu'une révolte en éveille une autre, ainsi ces petits peuples, poussés du mauvais exemple de leurs compagnons séditieux, aspirent chacun en particulier au commandement, allumant partout la guerre, le massacre et la faim. Mais, me direz-vous, certaines personnes sont bien moins sujettes à la démangeaison que d'autres. Cependant chacun est rempli également de ces petits animaux, puisque ce sont eux, dites-vous, qui font la vie. Il est vrai; aussi remarquons-nous que les flegmatiques sont moins en proie à la gratelle que les bilieux, à cause que le peuple sympathisant au climat qu'il habite est plus lent dans un corps froid qu'un autre échauffé par la température de sa région, qui pétille, se remue, et ne saurait demeurer en une place. Ainsi le bilieux est bien plus délicat que le flegmatique parce qu'étant animé en bien plus de parties, et l'âme n'étant que l'action de ces petites bêtes, il est capable de sentir en tous les endroits où ce bétail se remue, là où, le flegmatique n'étant pas assez chaud pour faire agir qu'en peu d'endroits.

Et pour prouver encore cette cironalité universelle, vous n'avez qu'à considérer quand vous êtes blessé comme le sang accourt à la plaie. Vos docteurs disent qu'il est guidé par la prévoyante nature qui veut secourir les parties débilitées : mais voilà de belles chimères : donc outre l'âme et l'esprit il y aurait encore en nous une troisième substance intellectuelle qui aurait ses fonctions et ses organes à part. Il est bien plus croyable que ces petits animaux, se sentant attaqués, envoient chez leurs voisins demander du secours, et qu'en étant arrivé de tous côtés, et le pays se trouvant incapable de tant de gens, ils meurent étouffés à la presse ou de faim. Cette mortalité arrive quand l'apostume est mûre ; car pour témoignage qu'alors ces animaux de vie sont éteints, c'est que la chair pourrie devient insensible ; que si bien souvent la saignée qu'on ordonne pour divertir la fluxion profite, c'est à cause que, s'en étant perdu beaucoup par l'ouverture que ces petits animaux tâchaient de boucher, ils refusent d'assister leurs alliés, n'ayant que fort médiocrement la puissance de se défendre chacun chez soi. »

Il acheva ainsi. Et quand le second philosophe s'aperçut que nos yeux assemblés sur les siens l'exhortaient de parler à son tour :

« Hommes, dit-il, vous voyant curieux d'apprendre à ce petit animal notre semblable quelque chose de la science que nous professons, je dicte maintenant un traité que je serais fort aise de lui produire, à cause des lumières qu'il donne à l'intelligence de notre physique, c'est l'explication de l'origine éternelle du monde. Mais comme je suis empressé de faire travailler à mes soufflets, car demain sans remise la ville part, vous pardonnerez au temps, avec promesse toutefois qu'aussitôt qu'elle sera ramassée, je vous satisferai. »

À ces mots, le fils de l'hôte appela son père, et, lorsqu'il fut arrivé, la compagnie lui demanda l'heure. Le bon-

homme répondit : Huit heures. Son fils alors, tout en
colère :

— Eh! venez ça, coquin, lui dit-il. Ne vous avais-je
pas commandé de nous avertir à sept ? Vous savez que
les maisons s'en vont demain, que les murailles sont
déjà parties, et la paresse vous cadenasse jusqu'à la
bouche.

— Monsieur, répliqua le bonhomme, on a tantôt
publié depuis que vous êtes à table une défense expresse
de marcher avant après-demain.

— N'importe, repartit-il en lui lâchant une ruade,
vous devez obéir aveuglément, ne point pénétrer dans
mes ordres, et vous souvenir seulement de ce que je
vous ai commandé. Vite, allez quérir votre effigie.

Lorsqu'il l'eut apportée, le jouvenceau la saisit par le
bras, et la fouetta durant un gros quart d'heure.

— Or sus! vaurien, continua-t-il, en punition de
votre désobéissance, je veux que vous serviez aujourd'hui
de risée à tout le monde, et pour cet effet, je vous commande de ne marcher que sur deux pieds le reste de la
journée.

Ce pauvre vieillard sortit fort éploré et son fils continua :

— Messieurs, je vous prie d'excuser les friponneries
de cet emporté; j'en espérais faire quelque chose de bon,
mais il a abusé de mon amitié. Pour moi, je pense que
ce coquin-là me fera mourir; en vérité, il m'a déjà mis
plus de dix fois sur le point de lui donner ma malédic-
tion.

J'avais bien de la peine, quoique je me mordisse les
lèvres, à m'empêcher de rire de ce monde renversé.
Cela fut cause que, pour rompre cette burlesque péda-
gogie qui m'aurait à la fin sans doute fait éclater, je le
suppliai de me dire ce qu'il entendait par ce voyage
de la ville, dont tantôt il avait parlé, si les maisons et les
murailles cheminaient. Il me répondit :

— Nos cités, ô mon cher compagnon, se divisent en
mobiles et en sédentaires; les mobiles, comme par
exemple celle où nous sommes à présent sont construites
ainsi :

« L'architecte construit chaque palais, ainsi que vous
voyez, d'un bois fort léger, y pratique dessous quatre
roues; dans l'épaisseur de l'un des murs, il place des
soufflets gros et nombreux et dont les tuyaux passent
d'une ligne horizontale à travers le dernier étage de l'un

à l'autre pignon. De cette sorte, quand on veut traîner les villes autre part (car on les change d'air à toutes les saisons), chacun déplie sur l'un des côtés de son logis quantité de larges voiles au-devant des soufflets; puis ayant bandé un ressort pour les faire jouer, leurs maisons en moins de huit jours, avec les bouffées continues que vomissent ces monstres à vent et qui s'engouffrent dans la toile, sont emportées, si l'on veut, à plus de cent lieues.

Voici l'architecture des secondes que nous appelons sédentaires : les logis sont presque semblables à vos tours, hormis qu'ils sont de bois, et qu'ils sont percés au centre d'une grosse et forte vis, qui règne de la cave jusqu'au toit, pour les pouvoir hausser ou baisser à discrétion. Or la terre est creusée aussi profonde que l'édifice est élevé, et le tout est construit de cette sorte, afin qu'aussitôt que les gelées commencent à morfondre le ciel, ils descendent leurs maisons en les tournant au fond de cette fosse et que, par le moyen de certaines grandes peaux dont ils couvrent et cette tour et son creusé circuit, ils se tiennent à l'abri des intempéries de l'air. Mais aussitôt que les douces haleines du printemps viennent à le radoucir, ils remontent au jour par le moyen de cette grosse vis dont j'ai parlé. »

Il voulait, je pense, arrêter là son poumon quand je pris ainsi la parole :

« Par ma foi, monsieur, je ne croirai jamais qu'un maçon si expert puisse être philosophe si je ne vous en ai vous-même pour témoin. C'est pourquoi, puisque l'on ne part pas encore aujourd'hui, vous aurez bien le loisir de nous expliquer cette origine éternelle du monde, dont tantôt vous nous faisiez fête. Je vous promets, en récompense sitôt que je serai de retour de la lune, d'où mon gouverneur (je lui montrai mon démon) vous témoignera que je suis venu, d'y semer votre gloire, en y racontant les belles choses que vous m'aurez dites. Je vois bien que vous riez de cette promesse, parce que vous ne croyez pas que la lune soit un monde, et encore moins que j'en sois un habitant; mais je vous puis assurer aussi que les peuples de ce monde-là qui ne prennent celui-ci que pour une lune se moqueront de moi quand je leur dirai que leur lune est un monde, que les campagnes ici sont de terre et que vous êtes des gens.

Il ne me répondit que par un souris, puis il commença son discours de cette sorte :

— Puisque nous sommes contraints quand nous vou-
lons remonter à l'origine de ce grand Tout, d'encourir
trois ou quatre absurdités, il est bien raisonnable de
prendre le chemin qui nous fait moins broncher : le
premier obstacle qui nous arrête, c'est l'éternité du
monde; et l'esprit des hommes n'étant pas assez fort
pour la concevoir, et ne pouvant non plus s'imaginer
que ce grand univers si beau, si bien réglé, peut s'être
fait de soi-même, ils ont eu recours à la Création. Mais,
semblables à celui qui s'enfoncerait dans la rivière de
peur d'être mouillé de la pluie, ils se sauvent des bras
d'un nain à la miséricorde d'un géant. Encore ne s'en
sauvent-ils pas, car cette éternité, qu'ils ôtent au monde
pour ne l'avoir pu comprendre, ils la donnent à Dieu,
comme s'il leur était plus aisé de l'imaginer dedans l'un
que dedans l'autre. Cette absurdité donc, ou ce géant
duquel j'ai parlé, est la Création, car, dites-moi, en vérité,
a-t-on jamais conçu comment de rien il se peut faire
quelque chose ? Hélas! entre rien et un atome seulement, il y a des disproportions tellement infinies que
la cervelle la plus aiguë n'y saurait pénétrer; il faudra
donc, pour échapper à ce labyrinthe inexplicable, que
vous admettiez une matière éternelle avec Dieu, et alors
il ne sera plus besoin d'admettre un Dieu, puisque le
monde aura pu être sans lui. Mais, me direz-vous, quand
je vous accorderais la matière éternelle, comment ce
chaos s'est-il arrangé de soi-même ? Ha! je vous le vais
expliquer.

Il faut, ô mon petit animal! après avoir séparé men-
talement chaque petit corps visible en une infinité de
petits corps invisibles, s'imaginer que l'Univers infini
n'est composé d'autre chose que de ces atomes infinis,
très solides, très incorruptibles et très simples, dont les
uns sont cubiques, d'autres parallélogrammes, d'autres
angulaires, d'autres ronds, d'autres pointus, d'autres
pyramidaux, d'autres hexagones, d'autres ovales, qui
tous agissent diversement chacun selon sa figure. Et
qu'ainsi ne soit, posez une boule d'ivoire fort ronde sur
un lieu fort uni : la moindre impression que vous lui
donnerez, elle sera un quart-d'heure sans s'arrêter.
J'ajoute que si elle était aussi parfaitement ronde comme
le sont quelques-uns de ces atomes dont je parle, elle
ne s'arrêterait jamais. Si donc l'art est capable d'incliner
un corps au mouvement perpétuel, pourquoi ne croirons-
nous pas que la nature le puisse faire ? Il en va de

même des autres figures. L'une, comme la carrée,
demande le repos perpétuel, d'autres un mouvement
de côté, d'autres un demi-mouvement comme de tré-
pidation; et la ronde, dont l'être est de se remuer,
venant à se joindre à la pyramidale, fait peut-être
ce que nous appelons le feu, parce que non seulement
le feu s'agite sans se reposer, mais perce et pénètre
facilement.

Le feu a outre cela des effets différents selon l'ouverture et la quantité des angles, où la figure ronde se joint,
comme par exemple le feu du poivre est autre chose que
le feu du sucre, le feu du sucre que celui de la cannelle,
celui de la cannelle que celui du clou de girofle, et celui-ci
que le feu d'un fagot. Or, le feu, qui est le constructeur
et destructeur des parties et du Tout de l'univers, a
poussé et ramassé dans un chêne la quantité des figures
nécessaires à composer ce chêne. Mais, me direz-vous,
comment le hasard peut-il avoir assemblé en un lieu
toutes les choses qui étaient nécessaires à produire ce
chêne? Je réponds que ce n'est pas merveille que la
matière ainsi disposée n'eût pas formé un chêne, mais
que la merveille eût été bien grande si, la matière ainsi
disposée, le chêne n'eût pas été formé; un peu moins
de certaines figures, c'eût été un orme, un peuplier, un
saule, un sureau, de la bruyère, de la mousse; un peu
plus de certaines autres figures, c'eût été la plante
sensitive, une huître à l'écaille, un ver, une mouche,
une grenouille, un moineau, un singe, un homme.
Quand, ayant jeté trois dés sur une table, il arrive ou
rafle de deux, ou bien trois, quatre et cinq, ou bien
deux, six et un, direz-vous : « Ô le grand miracle! » A
chaque dé il est arrivé même point, tant d'autres points
pouvant arriver! Ô le grand miracle! il est arrivé en
trois dés trois points qui se suivent. Ô le grand miracle!
il est arrivé justement deux six, et le dessous de l'autre
six! Je suis très assuré qu'étant homme d'esprit, vous
ne ferez point ces exclamations; car puisqu'il n'y a sur
les dés qu'une certaine quantité de nombres, il est impossible qu'il n'en arrive quelqu'un.

Vous vous étonnez comme cette matière, brouillée
pêle-mêle, au gré du hasard, peut avoir constitué un
homme, vu qu'il y avait tant de choses nécessaires à la
construction de son être, mais vous ne savez pas que
cent millions de fois cette matière, s'acheminant au
dessein d'un homme, s'est arrêtée à former tantôt une

pierre, tantôt du plomb, tantôt du corail, tantôt une
fleur, tantôt une comète, pour le trop ou trop peu de
certaines figures qu'il fallait ou ne fallait pas à désigner
un homme ? Si bien que ce n'est pas merveille qu'entre
une infinie quantité de matière qui change et se remue
incessamment, elle ait rencontré à faire le peu d'animaux,
de végétaux, de minéraux que nous voyons; non plus
que ce n'est pas merveille qu'en cent coups de dés il
arrive un rafle. Aussi bien est-il impossible que de ce
remuement il ne se fasse quelque chose, et cette chose
sera toujours admirée d'un étourdi qui ne saura pas
combien peu s'en est fallu qu'elle n'ait pas été faite.
Quand la grande rivière de    $\equiv$    fait moudre un
moulin, conduit les ressorts d'une horloge, et que le
petit ruisseau de    $\equiv$    ne fait que couler et se
déborder quelquefois, vous ne direz pas que cette rivière
ait bien de l'esprit, parce que vous savez qu'elle a rencontré les choses disposées à faire tous ces beaux chefs-
d'œuvre; car si un moulin ne se fût point trouvé dans
son cours, elle n'aurait pas pulvérisé le froment; si elle
n'eût point rencontré d'horloge, elle n'eût point marqué
les heures; et si le petit ruisseau dont j'ai parlé avait eu
les mêmes rencontres, il aurait fait les mêmes miracles.
Il en va tout ainsi de ce feu qui se meut de soi-même;
car, ayant trouvé les organes propres à l'agitation nécessaire pour raisonner, il a raisonné; quand il en a trouvé
de propres à sentir seulement, il a senti; quand il en a
trouvé de propres à végéter, il a végété; et qu'ainsi ne
soit, qu'on crève les yeux de cet homme que ce feu ou
cette âme fait voir, il cessera de voir, de même que
notre grande rivière ne marquera plus les heures, si l'on
abat l'horloge.

Enfin ces premiers et indivisibles atomes font un
cercle sur qui roulent sans difficulté les difficultés les
plus embarrassantes de la physique. Il n'est pas jusqu'à
l'opération des sens, que personne encore n'a pu bien
concevoir, que je n'explique fort aisément avec les
petits corps. Commençons par la vue : elle mérite,
comme la plus incompréhensible, notre premier
début.

Elle se fait donc, à ce que je m'imagine, quand les
tuniques de l'œil, dont les pertuis sont semblables à ceux
du verre, mettant cette poussière de feu qu'on appelle
rayons visuels et qu'elle est arrêtée par quelque matière
opaque, qui la fait rejaillir chez soi; car alors rencontrant

en chemin l'image de l'objet qui l'a repoussée, et, cette image n'étant qu'un nombre infini de petits corps qui s'exhalent continuellement en égales superficies du sujet regardé, elle la pousse jusqu'à notre œil.

« Vous ne manquerez pas de m'objecter que le verre est un corps opaque et fort serré, que cependant au lieu de rechasser ces autres petits corps, il s'en laisse percer. Mais je vous réponds que les pores de verre sont taillés de même figure que ces atomes de feu qui le traversent, et que, de même qu'un crible à froment n'est pas propre à cribler de l'avoine, ni un crible à avoine à cribler du froment, ainsi une boîte de sapin, quoique ténue, qui laisse échapper les sons, n'est pas pénétrable à la vue; et une pièce de cristal, quoique transparente, qui se laisse percer à la vue, n'est pas pénétrable à l'ouïe. »

Je ne pus m'empêcher de l'interrompre.

— Mais comment, lui dis-je, monsieur, par ces principes-là, expliquerez-vous la façon de nous peindre dans un miroir ?

— Il est fort aisé, me répliqua-t-il; car figurez-vous que ces feux de notre œil ayant traversé la glace, et rencontrant derrière un corps non diaphane qui les rejette, ils repassent par où ils étaient venus; et trouvant ces petits corps partis du nôtre cheminant en superficies égales étendues sur le miroir, ils les ramènent à nos yeux; et notre imagination, plus chaude que les autres facultés de l'âme, en attire le plus subtil, dont elle fait chez elle un portrait en raccourci.

L'opération de l'ouïe n'est pas plus malaisée à concevoir. Pour être un peu succinct, considérons-la seulement dans l'harmonie. Voilà donc un luth touché par les mains d'un maître de l'art. Vous me demanderez comme se peut-il faire que j'aperçoive si loin de moi une chose que je ne vois point. De mes oreilles sort-il des éponges qui boivent cette musique pour me la rapporter ? ou ce joueur engendre-t-il dans ma tête un autre petit joueur avec un petit luth, qui ait ordre de me chanter les mêmes airs ? Non; mais ce miracle procède de ce que, la corde tirée venant à frapper les petits corps dont l'air est composé, elle le chasse dans mon cerveau, le perçant doucement avec ces petits riens corporels; et selon que la corde est bandée, le son est haut, à cause qu'elle pousse les atomes plus vigoureusement; et l'organe ainsi pénétré, en fournit à la fantaisie assez de quoi faire son tableau; si trop peu, il arrive que notre mémoire n'ayant pas encore achevé son image, nous sommes contraints de lui répéter le même son, afin que, des matériaux que lui fournissent, par exemple, les mesures d'une sarabande, elle en dérobe assez pour achever le portrait de cette sarabande.

Mais cette opération n'est presque rien; le merveilleux, c'est lorsque, par son ministère, nous sommes émus tantôt à la joie, tantôt à la rage, tantôt à la pitié, tantôt à la rêverie, tantôt à la douleur. Cela se fait, je m'imagine si le mouvement que ces petits corps reçoivent, rencontrent dedans nous d'autres petits corps remués de même sens ou que leur propre figure rend susceptibles du même ébranlement; car alors les nouveaux venus excitent leurs hôtes à se remuer comme eux. Et, de cette façon, lorsqu'un air violent rencontre le feu de notre sang incliné au même branle, il anime ce feu à se pousser dehors et c'est ce que nous appelons « ardeur de courage ». Si le son est plus doux, et qu'il n'ait la force de soulever qu'une moindre flamme plus ébranlée, à cause que la matière est plus volatile en la promenant le long des nerfs, des membranes et des pertuis de notre chair, elle excite ce chatouillement qu'on appelle « joie ». Il en arrive ainsi de l'ébullition des autres passions, selon que ces petits corps sont jetés plus ou moins violemment sur nous, selon le mouvement qu'ils reçoivent par la rencontre d'autres branles, et selon ce qu'ils trouvent à remuer chez nous; voici quant à l'ouïe.

La démonstration du toucher n'est pas maintenant plus difficile. De toute matière palpable, se faisant une émission perpétuelle de petits corps, à mesure que nous la touchons, s'en évaporant davantage, parce que nous les épreignons du sujet manié, comme l'eau d'une éponge quand nous la pressons, les durs viennent faire à l'organe rapport de leur solidité; les souples de leur mollesse; les raboteux de leur âpreté, les brûlants de leur ardeur, les gelés de leur glace. Et qu'ainsi ne soit, nous ne sommes plus si fins à discerner par l'attouchement avec des mains usées de travail, à cause de l'épaisseur du cal, et qui pour n'être ni poreux, ni animé, ne transmet pas que malaisément ces fumées de la matière. Quelqu'un désirera d'apprendre où l'organe de toucher tient son siège. Pour moi, je crois qu'il est répandu dans toutes les superficies de la masse, vu qu'il se fait par l'entremise des nerfs dont notre cuir n'est qu'une tissure imperceptible et continue. Je m'imagine toutefois que, plus nous tâtons par un membre proche de la tête, plus vite nous distinguons; cela se peut expérimenter quand les yeux clos nous patinons quelque chose, car nous la devinons aussitôt; et si, au contraire, nous la tâtons du pied, nous travaillons beaucoup à la connaître. Cela provient de ce que notre peau étant partout criblée de petits trous, nos nerfs, dont la matière n'est pas plus serrée, perdent en chemin beaucoup de ces petits atomes par les menus pertuis de leur contexture, auparavant d'être arrivés jusqu'au cerveau, où aboutit leur voyage.

Il me reste à prouver que l'odorat et le goût se fassent aussi par l'entremise des mêmes petits corps.

Dites-moi donc, lorsque je goûte un fruit, n'est-ce pas à cause de l'humidité de la bouche qui le fond ? Avouez-moi donc que, y ayant dans une poire d'autres sels, et la dissolution les partageant en petits corps, d'autre figure que ceux qui composent la saveur d'une prune, il faut qu'ils percent notre palais d'une manière bien différente; tout ainsi que l'escarre enfoncée par le fer d'une pique qui me traverse n'est pas semblable à ce que me fait souffrir en sursaut la balle d'un pistolet, et de même que la balle d'un pistolet m'imprime une autre douleur que celle d'un carreau d'acier.

De l'odorat, je n'ai rien à dire, puisque vos philosophes mêmes confessent qu'il se fait par une émission continuelle de petits corps qui se déprennent de leur masse et qui frappent notre nez en passant.

Je m'en vais sur ce principe vous expliquer la création, l'harmonie et l'influence des globes célestes avec l'immuable variété des météores.

Il allait continuer; mais le vieil hôte entra là-dessus, qui fit songer notre philosophe à la retraite. Il apportait les cristaux pleins de vers luisants pour éclairer la salle; mais comme ces petits feux insectes perdent beaucoup de leur éclat quand ils ne sont pas frais amassés, ceux-ci, vieux de dix jours, ne flambaient presque point.

Mon démon n'attendit pas que la compagnie en fût incommodée; il monta à son cabinet, et en redescendit aussitôt avec deux boules de feu si brillantes que chacun s'étonna comme il ne se brûlait point les doigts.

— Ces flambeaux incombustibles, dit-il, nous serviront mieux que vos pelotons de vers. Ce sont des rayons de soleil que j'ai purgés de leur chaleur, autrement les qualités corrosives de son feu auraient blessé votre vue en l'éblouissant, j'en ai fixé la lumière, et l'ai renfermée dedans ces boules transparentes que je tiens. Cela ne vous doit pas fournir un grand sujet d'admiration, car il ne m'est non plus difficile à moi qui suis né dans le soleil de condenser des rayons qui sont la poussière de ce monde-là qu'à vous d'amasser de la poussière ou des atomes qui sont la terre pulvérisée de celui-ci.

Quand on eut achevé le panégyrique de cet enfant du soleil, le jeune hôte envoya son père reconduire les deux philosophes, parce qu'il était tard, avec une douzaine de globes à vers pendus à ses quatre pieds. Pour nous autres, à savoir : le jeune hôte, mon précepteur et moi, nous nous couchâmes par l'ordre du physionome.

Il me mit cette fois-là dans une chambre de violettes et de lys, m'envoya chatouiller à l'ordinaire pour m'endormir, et le lendemain sur les neuf heures, je vis entrer mon démon, qui me dit qu'il venait du palais où ⚏ , l'une des damoiselles de la Reine l'avait mandé, qu'elle s'était enquise de moi, et témoigné qu'elle persistait toujours dans le dessein de me tenir parole, c'est-à-dire que de bon cœur elle me suivrait, si je la voulais mener avec moi dans l'autre monde.

— Ce qui m'a fort édifié, continua-t-il, c'est quand j'ai reconnu que le motif principal de son voyage ne bute qu'à se faire chrétienne. Aussi je lui ai promis d'aider son dessein de toutes mes forces, et d'inventer pour cet effet une machine capable de tenir trois ou quatre personnes dedans laquelle vous pourrez monter ensemble. Dès aujourd'hui, je vais m'appliquer sérieusement à l'exécution de cette entreprise : c'est pourquoi, afin de vous divertir pendant que je ne serai point avec vous, voici un livre que je vous laisse. Je l'apportai jadis de mon pays natal; il est intitulé *les Etats et Empires du soleil*. Je vous donne encore celui-ci que j'estime beaucoup davantage; c'est *le Grand Œuvre des philosophes*, qu'un des plus forts esprits du soleil a composé. Il prouve là-dedans que toutes choses sont vraies, et déclare la façon d'unir physiquement les vérités de chaque contradictoire, comme par exemple que le blanc est noir et que le noir est blanc; qu'on peut être et n'être pas en même temps; qu'il peut y avoir une montagne sans vallée; que le néant est quelque chose, et que toutes les choses qui sont ne sont point. Mais remarquez qu'il

prouve ces inouïs paradoxes, sans aucune raison cap-
tieuse, ni sophistique. Quand vous serez ennuyé de lire,
vous pourrez vous promener, ou bien vous entretenir,
avec notre jeune hôte votre compagnon : son esprit a beaucoup de charmes ; ce qui me déplaît en lui, c'est qu'il est
impie, mais s'il lui arrive de vous scandaliser, ou de faire
par les raisonnements chanceler votre foi, ne manquez pas
aussitôt de venir me les proposer, je vous en résoudrai les
difficultés. Un autre vous ordonnerait de rompre compagnie lorsqu'il voudrait philosopher sur ces matières : mais
comme il est extrêmement vain, je suis assuré qu'il prendrait cette fuite pour une défaite, et se figurerait que
votre créance serait contre la raison, si vous refusiez d'entendre les siennes. Songez à librement vivre.

Il me quitta en achevant ce mot, car c'est l'adieu dont,
en ce pays-là, on prend congé de quelqu'un comme le
« bonjour » ou le « Monsieur votre serviteur » s'exprime
par ce compliment : « Aime-moi, sage, puisque je t'aime ».
À peine fut-il hors de présence que je me mis à considérer
attentivement mes livres. Les boîtes, c'est-à-dire leurs
couvertures, me semblèrent admirables pour leur richesse ; l'une était taillée d'un seul diamant, plus brillant
sans comparaison que les nôtres ; la seconde ne paraissait
qu'une monstrueuse perle fendue en deux. Mon démon
avait traduit ces livres en langage de ce monde-là ; mais
parce que je n'ai point encore parlé de leur imprimerie,
je m'en vais expliquer la façon de ces deux volumes.

À l'ouverture de la boîte, je trouvai dedans un je ne
sais quoi de métal quasi tout semblable à nos horloges,
plein d'un nombre infini de petits ressorts et de machines
imperceptibles. C'est un livre à la vérité, mais c'est un
livre miraculeux qui n'a ni feuillets ni caractères ; enfin
c'est un livre où, pour apprendre, les yeux sont inutiles ;
on n'a besoin que d'oreilles. Quand quelqu'un donc
souhaite lire, il bande, avec une grande quantité de
toutes sortes de clefs, cette machine, puis il tourne l'ai-
guille sur le chapitre qu'il désire écouter, et au même
temps il sort de cette noix comme de la bouche d'un
homme, ou d'un instrument de musique, tous les sons
distincts et différents qui servent, entre les grands
lunaires, à l'expression du langage.

Lorsque j'eus réfléchi sur cette miraculeuse invention de faire des livres, je ne m'étonnai plus de voir que
les jeunes hommes de ce pays-là possédaient davantage
de connaissance à seize et à dix-huit ans que les barbes

grises du nôtre; car, sachant lire aussitôt que parler, ils
ne sont jamais sans lecture; dans la chambre, à la promenade, en ville, en voyage, à pied, à cheval, ils peuvent
avoir dans la poche, ou pendus à l'arçon de leurs selles,
une trentaine de ces livres dont ils n'ont qu'à bander
un ressort pour en ouïr un chapitre seulement, ou bien
plusieurs, s'ils sont en humeur d'écouter tout un livre :
ainsi vous avez éternellement autour de vous tous les
grands hommes et morts et vivants qui vous entretiennent de vive voix.

Ce présent m'occupa plus d'une heure, et enfin, me
les étant attachés en forme de pendants d'oreille, je
sortis en ville pour me promener. Je n'eus pas achevé
d'arpenter la rue qui tombe vis-à-vis de notre maison
que je rencontrai à l'autre bout une troupe assez nom-
breuse de personnes tristes.

Quatre d'entre eux portaient sur leurs épaules une
espèce de cercueil enveloppé de noir. Je m'informai d'un
regardant que voulait dire ce convoi semblable aux
pompes funèbres de mon pays; il me répondit que ce
méchant ⚏ et nommé du peuple par une chi-
quenaude sur le genou droit, qui avait été convaincu
d'envie et d'ingratitude, était décédé d'hier, et que le
Parlement l'avait condamné il y avait plus de vingt ans
à mourir de mort naturelle et dans son lit, et puis d'être
enterré après sa mort. Je me pris à rire de cette réponse;
et lui m'interrogeant pourquoi :

— Vous m'étonnez, lui répliquai-je, de dire que ce qui
est une marque de bénédiction dans notre monde,
comme une longue vie, une mort paisible, une sépulture
pompeuse, serve en celui-ci de châtiment exemplaire.

— Quoi! vous prenez la sépulture pour une marque
de bénédiction! me repartit cet homme. Eh! par votre
foi, pouvez-vous concevoir quelque chose de plus épouvantable qu'un cadavre marchant sur les vers dont il
regorge, à la merci des crapauds qui lui mâchent les
joues; enfin la peste revêtue du corps d'un homme ? Bon
Dieu! la seule imagination d'avoir, quoique mort, le
visage embarrassé d'un drap, et sur la bouche une
pique de terre me donne de la peine à respirer! Ce misérable que vous voyez porter, outre l'infamie d'être jeté
dans une fosse, a été condamné d'être assisté dans son
convoi de cent cinquante de ses amis, et commandement à eux, en punition d'avoir aimé un envieux et un
ingrat, de paraître à ses funérailles avec le visage triste;

et sans que les juges en ont eu pitié, imputant en partie
ses crimes à son peu d'esprit, ils leur auraient ordonné
d'y pleurer. Hormis les criminels, tout le monde est
brûlé : aussi est-ce une coutume très décente et très
raisonnable, car nous croyons que le feu, ayant séparé
le pur de l'impur et de sa chaleur rassemblé par sympathie, cette chaleur naturelle qui faisait l'âme, il lui donne
la force de s'élever toujours, en montant jusqu'à quelque
astre, la terre de certains peuples plus immatériels que
nous, plus intellectuels, parce que leur tempérament doit
correspondre et participer à la pureté du globe qu'ils
habitent, et que cette flamme radicale, s'étant encore
rectifiée par la subtilité des éléments de ce monde-là,
elle vient à composer un des bourgeois de ce pays
enflammé.

   Ce n'est pas pourtant encore notre façon d'inhumer
la plus belle. Quand un de nos philosophes est venu en un
âge où il sent ramollir son esprit, et la glace des ans engourdir les mouvements de son âme, il assemble ses amis par
un banquet somptueux; puis ayant exposé les motifs
qui l'ont fait résoudre à prendre congé de la nature, le
peu d'espérance qu'il a de pouvoir ajouter quelque chose
à ses belles actions, on lui fait ou grâce, c'est-à-dire on
lui ordonne la mort, ou un sévère commandement de
vivre. Quand donc, à la pluralité de voix, on lui a mis
son souffle entre ses mains, il avertit ses plus chers et
du jour et du lieu : ceux-ci se purgent et s'abstiennent de
manger pendant vingt-quatre heures; puis arrivés qu'ils
sont au logis du sage, après avoir sacrifié au soleil, ils
entrent dans la chambre où le généreux les attend
appuyé sur un lit de parade. Chacun vole à son rang aux
embrassements et quand ce vient à celui qu'il aime le
mieux, après l'avoir baisé tendrement, il l'appuie sur
son estomac et joignant sa bouche à sa bouche, de la
main droite, qu'il a libre, il se baigne un poignard dans
le cœur. L'amant ne détache point ses lèvres de celles
de son amant qu'il ne le sente expirer; alors il retire
le fer de son sein, et fermant de sa bouche la plaie, il
avale son sang et suce toujours jusqu'à ce qu'il n'en
puisse boire davantage. Aussitôt, un autre lui succède
et l'on porte celui-ci au lit. Le second rassasié, on le
mène coucher pour faire place au troisième. Enfin, toute
la troupe repue, on introduit à chacun au bout de quatre
ou cinq heures une fille de seize ou dix-sept ans et,
pendant trois ou quatre jours qu'ils sont à goûter les

délices de l'amour, ils ne sont nourris que de la chair du mort qu'on leur fait manger toute crue, afin que, si de ces embrassements il peut naître quelque chose, ils soient comme assurés que c'est leur ami qui revit.

Je ne donnai pas la patience à cet homme de discourir davantage, car je le plantai là pour continuer ma promenade.

Quoique je la fisse assez courte, le temps que j'employai aux particularités de ces spectacles et à visiter quelques endroits de la ville fut cause que j'arrivai plus de deux heures après le dîner préparé. On me demanda pourquoi j'étais arrivé si tard.

— Ce n'a pas été ma faute, répondis-je au cuisinier qui s'en plaignait; j'ai demandé plusieurs fois parmi les rues quelle heure il était, mais on ne m'a répondu qu'en ouvrant la bouche, serrant les dents, et tordant le visage de guingois!

— Quoi! s'écria toute la compagnie, vous ne savez pas que par là ils vous montraient l'heure?

— Par ma foi, repartis-je, ils avaient beau exposer au soleil leurs grands nez avant que je l'apprisse.

— C'est une commodité, me dirent-ils, qui leur sert à se passer d'horloge, car de leurs dents ils font un cadran si juste, qu'alors qu'ils veulent instruire quelqu'un de l'heure, ils desserrent les lèvres; et l'ombre de ce nez qui vient tomber dessus marque comme sur un cadran celle dont le curieux est en peine. Maintenant, afin que vous sachiez pourquoi tout le monde en ce pays a le nez grand, apprenez qu'aussitôt qu'une femme est accouchée, la matrone porte l'enfant au prieur du séminaire; et justement au bout de l'an les experts étant assemblés, si son nez est trouvé plus court qu'une certaine mesure que tient le syndic, il est censé camus, et mis entre les mains des prêtres qui le châtrent. Vous me demanderez possible la cause de cette barbarie, comment se peut-il faire que nous, chez qui la virginité est un crime, établissions des continents par force? Sachez que nous le faisons après avoir observé depuis trente siècles qu'un grand nez est à la porte de chez nous une enseigne qui dit: Céans loge un homme spirituel, prudent, courtois, affable, généreux et libéral, et qu'un petit est le bouchon des vices opposés. C'est pourquoi des camus on bâtit les eunuques, parce que la République aime mieux n'avoir point d'enfants d'eux, que d'en avoir de semblables à eux.

Il parlait encore, lorsque je vis entrer un homme tout
nu. Je m'assis aussitôt, et me couvris pour lui faire honneur, car ce sont les marques du plus grand respect
qu'on puisse en ce pays-là témoigner à quelqu'un.

— Le royaume, dit-il, souhaite que vous avertissiez
les magistrats avant que de partir pour votre pays, à
cause qu'un mathématicien vient tout à l'heure de pro-
mettre au Conseil que, pourvu qu'étant de retour en
votre monde vous vouliez construire une certaine machine qu'il vous enseignera correspondante à une autre
qu'il tiendra prête en celui-ci, il l'attirera à lui et le
joindra à notre globe.

Sitôt qu'il fut sorti :

— Hé! je vous prie, m'adressant au jeune hôte, apprenez-moi que veut dire ce bronze figuré en parties honteuses qui pendent à la ceinture de cet homme.

J'en avais bien vu quantité à la cour du temps que
je vivais en cage, mais parce que j'étais quasi toujours
environné des filles de la Reine, j'appréhendais de violer
le respect qui se doit à leur sexe et à leur condition,
si j'eusse en leur présence attiré l'entretien d'une matière
si grasse.

— Les femelles ici, non plus que les mâles, ne sont
pas assez ingrates pour rougir à la vue de celui qui les
a forgées ; et les vierges n'ont pas honte d'aimer sur
nous, en mémoire de leur mère nature, la seule chose
qui porte son nom.

« Sachez donc que l'écharpe dont cet homme est
honoré, où pend pour médaille la figure d'un membre
viril, est le symbole du gentilhomme, et la marque qui
distingue le noble d'avec le roturier. »

J'avoue que ce paradoxe me sembla si extravagant
que je ne pus m'empêcher d'en rire.

— Cette coutume me semble bien extraordinaire,
dis-je à mon petit hôte, car en notre monde la marque de
noblesse est de porter l'épée.

Mais lui, sans s'émouvoir :

— O mon petit homme! s'écria-t-il, que les grands
de votre monde sont enragés de faire parade d'un instrument qui désigne un bourreau, qui n'est forgé que
pour nous détruire, enfin l'ennemi juré de tout ce qui
vit ; et de cacher, au contraire, un membre sans qui nous
serions au rang de ce qui n'est pas, le Prométhée de
chaque animal, et le réparateur infatigable des faiblesses
de la nature! Malheureuse contrée, où les marques de

génération sont ignominieuses, et où celles d'anéantissement sont honorables. Cependant, vous appelez ce
membre-là les parties honteuses, comme s'il y avait
quelque chose de plus glorieux que de donner la vie, et
rien de plus infâme que de l'ôter ! »

Pendant tout ce discours, nous ne laissions pas de
dîner ; et sitôt que nous fûmes levés de dessus nos lits,
nous allâmes au jardin prendre l'air.

Les occurrences et la beauté du lieu nous entretinrent
quelque temps ; mais comme la plus noble envie dont je
fusse alors chatouillé, c'était de convertir à notre religion une âme si fort élevée au-dessus du vulgaire, je
l'exhortai mille fois de ne pas embourber de matière ce
beau génie dont le ciel l'avait pourvu, qu'il tirât de la
presse des animaux cet esprit capable de la vision de
Dieu ; enfin qu'il avisât sérieusement à voir unir quelque
jour son immortalité au plaisir plutôt qu'à la peine.

— Quoi ! me répliqua-t-il en s'éclatant de rire, vous
estimez votre âme immortelle privativement à celle des
bêtes ? Sans mentir, mon grand ami, votre orgueil est bien
insolent ! Et d'où argumentez-vous, je vous prie, cette
immortalité au préjudice de celle des bêtes ! Serait-ce à
cause que nous sommes doués de raisonnement et non
pas elles ? En premier lieu, je vous le nie, et je vous
prouverai quand il vous plaira, qu'elles raisonnent
comme nous. Mais, encore qu'il fût vrai que la raison
nous eût été distribuée en apanage et qu'elle fût un privilège réservé seulement à notre espèce, est-ce à dire pour
cela qu'il faille que Dieu enrichisse l'homme de l'immortalité, parce qu'il lui a déjà prodigué la raison ? Je dois
donc, à ce compte-là, donner aujourd'hui à ce pauvre une
pistole parce que je lui donnai hier un écu ? Vous voyez
bien vous-même la fausseté de cette conséquence, et
qu'au contraire, si je suis juste plutôt que de donner
une pistole à celui-ci, je dois donner un écu à l'autre,
puisqu'il n'a rien touché de moi. Il faut conclure de là,
ô mon cher compagnon, que Dieu, plus juste encore
mille fois que nous, n'aura pas tout versé aux uns pour
ne rien laisser aux autres. D'alléguer l'exemple des aînés
de votre monde, qui emportent dans leur partage quasi
tous les biens de la maison, c'est une faiblesse des pères
qui, voulant perpétuer leur nom, ont appréhendé qu'il ne
se perdît ou ne s'égarât dans la pauvreté. Mais Dieu, qui
n'est point capable d'erreur, n'a eu garde d'en commettre
une si grande, et puis, n'y ayant dans l'éternité de Dieu

ni avant ni après, les cadets chez lui ne sont pas plus
jeunes que les aînés.

Je ne le cèle point que ce raisonnement m'ébranla.

— Vous me permettrez, lui dis-je, de briser sur cette
matière, parce que je ne me sens pas assez fort pour vous
répondre; je m'en vais quérir la solution de cette difficulté
chez notre commun précepteur.

Je montai aussitôt, sans attendre qu'il me répliquât,
en la chambre de cet habile démon, et, tous préambules
à part, je lui proposai ce qu'on venait de m'objecter touchant l'immortalité de nos âmes, et voici ce qu'il me
répondit :

— Mon fils, ce jeune étourdi passionnait de vous
persuader qu'il n'est pas vraisemblable que l'âme de
l'homme soit immortelle parce que Dieu serait injuste,
Lui qui se dit Père commun de tous les êtres, d'en avoir
avantagé une espèce et d'avoir abandonné généralement
toutes les autres au néant ou à l'infortune, ces raisons,
à la vérité, brillent un peu de loin. Et quoi que je pusse
lui demander comme il sait que ce qui est juste à nous
soit aussi juste à Dieu, comme il sait que Dieu se mesure
à notre aune, comme il sait que nos lois et nos coutumes,
qui n'ont été instituées que pour remédier à nos désordres,
servent aussi pour tailler les morceaux de la toute-puissance de Dieu, je passerai toutes ces choses, avec tout
ce qu'ont si divinement répondu sur cette matière les
Pères de votre Eglise, et je vous découvrirai un mystère
qui n'a point encore été révélé :

« Vous savez, ô mon fils, que de la terre il se fait un
arbre, d'un arbre un pourceau, d'un pourceau un
homme. Ne pouvons-nous donc pas croire, puisque tous
les êtres en la nature tendent au plus parfait, qu'ils
aspirent à devenir hommes, cette essence étant l'achève-
ment du plus beau mixte, et le mieux imaginé qui soit
au monde, étant le seul qui fasse le lien de la vie brutale
avec l'angélique. Que ces métamorphoses arrivent, il
faut être pédant pour le nier. Ne voyons-nous pas qu'un
pommier, par la chaleur de son germe, comme par une
bouche, suce et digère le gazon qui l'environne; qu'un
pourceau dévore ce fruit et le fait devenir une partie de
soi-même; et qu'un homme, mangeant le pourceau,
réchauffe cette chair morte, la joint à soi, et fait enfin
revivre cet animal sous une plus noble espèce? Ainsi ce
grand pontife que vous voyez la mitre sur la tête était
il n'y a que soixante ans une touffe d'herbe en mon jar-

din. Dieu donc, étant le Père commun de toutes ses créatures, quand il les aimerait toutes également, n'est-il pas
bien croyable qu'après que, par cette métempsycose
plus raisonnée que la pythagorique, tout ce qui sent,
tout ce qui végète enfin, après que toute la matière aura
passé par l'homme, alors ce grand jour du Jugement
arrivera où font aboutir les prophètes les secrets de leur
philosophie. »

Je redescendis très satisfait au jardin et je commençais
à réciter à mon compagnon ce que notre maître m'avait
appris, quand le physionome arriva pour nous conduire
à la réfection et au dortoir. J'en tairai les particularités
parce que je fus nourri et couché comme le jour précédent.

Le lendemain, dès que je fus éveillé, je m'en allai faire
lever mon antagoniste.

— C'est un aussi grand miracle, lui dis-je en l'abor-
dant, de trouver un fort esprit comme le vôtre enseveli
de sommeil que de voir du feu sans action.

Il sourit de ce mauvais compliment.

— Mais, s'écria-t-il avec une colère passionnée
d'amour, ne déferez-vous jamais votre bouche aussi bien
que votre raison de ces termes fabuleux de miracles ?
Sachez que ces noms-là diffament le nom de philosophe.
Comme le sage ne voit rien au monde qu'il ne conçoive
ou qu'il ne juge pouvoir être conçu, il doit abominer
toutes ces expressions de miracles, de prodiges, d'événements contre nature qu'ont inventés les stupides pour
excuser les faiblesses de leur entendement.

Je crus alors être obligé en conscience de prendre la
parole pour le détromper.

— Encore, lui répliquai-je, que vous ne croyez pas
aux miracles, il ne laisse pas de s'en faire, et beaucoup.
J'en ai vu de mes yeux. J'ai connu plus de vingt malades
guéris miraculeusement.

— Vous le dites, interrompit-il, que ces gens-là ont
été guéris par miracle, mais vous ne savez pas que la
force de l'imagination est capable de combattre toutes
les maladies à cause d'un certain baume naturel répandu
dans nos corps contenant toutes les qualités contraires à
toutes celles de chaque mal qui nous attaque : et notre
imagination, avertie par la douleur, va choisir en son lieu
le remède spécifique qu'elle oppose au venin et nous
guérit. C'est là d'où vient que le plus habile médecin de
notre monde conseille au malade de prendre plutôt un

médecin ignorant qu'il estimera fort habile qu'un fort
habile qu'il estimera ignorant, parce qu'il se figure que
notre imagination travaille à notre santé; pour peu
qu'elle fut aidée des remèdes, elle était capable de nous
guérir; mais que les plus puissants étaient trop faibles,
quand l'imagination ne les appliquait pas! Vous étonnez-
vous que les premiers hommes de votre monde vivaient
tant de siècles sans avoir aucune connaissance de la
médecine ? Leur nature était forte, ce baume universel
n'était pas dissipé par les drogues dont vos médecins
vous consomment. Ils n'avaient pour rentrer en conva-
lescence qu'à souhaiter fortement et s'imaginer d'être
guéris. Aussitôt leur fantaisie, nette, vigoureuse et bandée, s'allait plonger dans cette huile vitale, appliquait
l'actif au passif, et presque en un clin d'œil les voilà
sains comme auparavant. Il ne laisse pas toutefois de
se faire encore aujourd'hui des cures étonnantes, mais le
populaire les attribue à miracle.

Pour moi, je n'en crois point du tout, et ma raison est
qu'il est plus facile que tous ces diseurs-là se trompent
que cela n'est facile à faire; car je leur demande : ce fié-
vreux qui vient de guérir a souhaité bien fort, comme il
est vraisemblable, pendant sa maladie, de se revoir en
santé; il a fait des vœux. Or, il fallait nécessairement,
étant malade, qu'il mourût, qu'il demeurât en son mal,
ou qu'il guérît; s'il fût mort, on eût dit : Dieu l'a voulu
récompenser de ses peines; on le fera peut-être malicieusement équivoquer, disant que, selon les prières
du malade, il l'a guéri de tous ses maux; s'il fût demeuré
dans son infirmité, on aurait dit qu'il n'avait pas la foi;
mais, parce qu'il est guéri, c'est un miracle tout visible.
N'est-il pas bien plus vraisemblable que sa fantaisie
excitée par les violents désirs de sa santé a fait cette
opération ? Car je veux qu'il soit réchappé beaucoup de
ces messieurs qui s'étaient voués, combien davantage en
voyons-nous qui sont péris misérablement avec leurs
vœux ?

— Mais à tout le moins, lui repartis-je, si ce que
vous dites de ce baume est véritable, c'est une marque
de la raisonnabilité de notre âme, puisque sans ce servir
des instruments de notre raison, ni s'appuyer du concours
de notre volonté, elle sait d'elle-même, comme si elle
était hors de nous, appliquer l'actif au passif. Or, si,
étant séparée de nous, elle est raisonnable, il faut nécessairement qu'elle soit spirituelle; et si vous la confessez

spirituelle, je conclus qu'elle est immortelle, puisque la
mort n'arrive aux animaux que par le changement des
formes dont la matière seule est capable.

Ce jeune homme alors s'étant mis à son séant sur le
lit, et m'ayant fait asseoir de même, discourut à peu près
de cette sorte :

— Pour l'âme des bêtes qui est corporelle, je ne
m'étonne pas qu'elle meure, vu qu'elle n'est possible
qu'une harmonie des quatre qualités, une force de sang,
une proportion d'organes bien concertés; mais je
m'étonne bien fort que la nôtre, incorporelle, intellectuelle et immortelle, soit contrainte de sortir de chez
nous pour les mêmes causes qui font périr celle d'un
bœuf. A-t-elle fait pacte avec notre corps que, quand il
aurait un coup d'épée dans le cœur, une balle de plomb
dans la cervelle, une mousquetade à travers le corps,
d'abandonner aussitôt sa maison trouée ? Encore man-
querait-elle souvent à son contrat, car quelques-uns
meurent d'une blessure dont les autres réchappent; il
faudrait que chaque âme eût fait un marché particulier
avec son corps. Sans mentir, elle qui a tant d'esprit, à
ce qu'on nous a fait accroire, est bien enragée de sortir
d'un logis quand elle voit qu'au partir de là on lui va
marquer son appartement en enfer. Et si cette âme était
spirituelle, et par soi-même raisonnable, comme ils
disent, qu'elle fût aussi capable d'intelligence quand elle
est séparée de notre masse, qu'alors qu'elle en est revêtue, pourquoi les aveugles-nés, avec tous les beaux
avantages de cette âme intellectuelle, ne sauraient-ils
même s'imaginer ce que c'est que de voir ? Pourquoi les
sourds n'entendent-ils point ? Est-ce à cause qu'ils ne
sont pas encore privés par le trépas de tous les sens ?
Quoi! je ne pourrai donc me servir de ma main droite,
parce que j'en ai aussi une gauche ? Ils allèguent, pour
prouver qu'elle ne saurait agir sans les sens, encore
qu'elle soit spirituelle, l'exemple d'un peintre qui ne
saurait faire un tableau s'il n'a des pinceaux. Oui, mais
ce n'est pas à dire que le peintre qui ne peut travailler
sans pinceau, quand, avec ses pinceaux, il aura perdu
ses couleurs, ses crayons, ses toiles et ses coquilles,
qu'alors il le pourra mieux faire. Bien au contraire! Plus
d'obstacles s'opposeront à son labeur, plus il lui sera
impossible de peindre. Cependant ils veulent que cette
âme, qui ne peut agir qu'imparfaitement, à cause de la
perte d'un de ses outils dans le cours de la vie, puisse

alors travailler avec perfection, quand après notre mort
elle les aura tous perdus. S'ils nous viennent rechanter
qu'elle n'a pas besoin de ces instruments pour faire les
fonctions, je leur rechanterai qu'il faut fouetter les
Quinze-Vingts, qui font semblant de ne voir goutte.

— Mais, lui dis-je, si notre âme mourait, comme je
vois bien que vous voulez conclure, la résurrection que
nous attendons ne serait donc qu'une chimère, car il
faudrait que Dieu les recréât, et cela ne serait pas résurrection.

Il m'interrompit par un hochement de tête :

— Hé, par votre foi ! s'écria-t-il, qui vous a bercé de
ce Peau-d'Ane ? Quoi ! vous ? Quoi ! moi ? Quoi ! ma
servante ressusciter ?

— Ce n'est point, lui répondis-je, un conte fait à
plaisir ; c'est une vérité indubitable que je vous prouverai.

— Et moi, dit-il, je vous prouverai le contraire :

Pour commencer donc, je suppose que vous mangiez
un mahométan ; vous le convertissez, par conséquent, en
votre substance ! N'est-il pas vrai, ce mahométan, digéré,
se change partie en chair, partie en sang, partie en
sperme ? Vous embrasserez votre femme et de la semence,
tirée tout entière du cadavre mahométan, vous jetez
en moule un beau petit chrétien. Je demande : le mahométan aura-t-il son corps ? Si la terre lui rend, le petit
chrétien n'aura pas le sien, puisqu'il n'est tout entier
qu'une partie de celui du mahométan. Si vous me dites
que le petit chrétien aura le sien, Dieu dérobera donc
au mahométan ce que le petit chrétien n'a reçu que
de celui du mahométan. Ainsi il faut absolument que l'un
ou l'autre manque de corps ! Vous me répondrez peut-
être que Dieu reproduira de la matière pour suppléer à
celui qui n'en aura pas assez ? Oui, mais une autre difficulté nous arrête, c'est que le mahométan damné res-
suscitant, et Dieu lui fournissant un corps tout neuf à
cause du sien que le chrétien lui a volé, comme le corps
tout seul, comme l'âme toute seule, ne fait pas l'homme,
mais l'un et l'autre joints en un seul sujet, et comme le
corps et l'âme sont parties aussi intégrantes de l'homme
l'une que l'autre, si Dieu pétrit à ce mahométan un autre
corps que le sien, ce n'est plus le même individu. Ainsi
Dieu damne un autre homme que celui qui a mérité
l'enfer ; ainsi ce corps a paillardé, ce corps a criminelle-
ment abusé de tous ses sens, et Dieu, pour châtier ce
corps, en jette un autre au feu, lequel est vierge, lequel

est pur, et qui n'a jamais prêté ses organes à l'opération
du moindre crime. Et ce qui serait encore bien ridicule,
c'est que ce corps aurait mérité l'enfer et le paradis tout
ensemble, car, en tant que mahométan, il doit être
damné; en tant que chrétien, il doit être sauvé; de sorte
que Dieu ne le saurait mettre en paradis qu'il ne soit
injuste, récompensant de la gloire la damnation qu'il
avait méritée comme mahométan et ne le peut jeter en
enfer qu'il ne soit injuste aussi, récompensant de la mort
éternelle la béatitude qu'il avait méritée comme chrétien. Il faut donc, s'il veut être équitable, qu'il damne et
sauve éternellement cet homme-là.

Alors je pris la parole :

— Eh! je n'ai rien à répondre, lui repartis-je, à vos
arguments sophistiques contre la résurrection, tant y a
que Dieu l'a dit, Dieu qui ne peut mentir.

— N'allez pas si vite, me répliqua-t-il, vous en êtes
déjà à « Dieu l'a dit »; il faut prouver auparavant qu'il
y ait un Dieu, car pour moi je vous le nie tout à
plat.

— Je ne m'amuserai point, lui dis-je, à vous réciter
les démonstrations évidentes dont les philosophes se
sont servis pour l'établir : il faudrait redire tout ce qu'ont
jamais écrit les hommes raisonnables. Je vous demande
seulement quel inconvénient vous encourez de le croire;
je suis bien assuré que vous ne m'en sauriez prétexter
aucun. Puisque donc il est impossible d'en tirer que de
l'utilité, que ne vous le persuadez-vous ? Car s'il y a un
Dieu, outre qu'en ne le croyant pas, vous vous serez
mécompté, vous aurez désobéi au précepte qui commande
d'en croire; et s'il n'y en a point, vous n'en serez pas
mieux que nous!

— Si fait, me répondit-il, j'en serai mieux que vous,
car s'il n'y en a point, vous et moi serons à deux de jeu;
mais, au contraire, s'il y en a, je n'aurai pas pu avoir
offensé une chose que je croyais n'être point, puisque,
pour pécher, il faut ou le savoir ou le vouloir. Ne voyez-
vous pas qu'un homme, même tant soit peu sage, ne se
piquerait pas qu'un crocheteur l'eût injurié, si le crocheteur aurait pensé ne pas le faire, s'il l'avait pris pour
un autre ou si c'était le vin qui l'eût fait parler ? A plus
forte raison Dieu, tout inébranlable, s'emportera-t-il
contre nous pour ne l'avoir pas connu, puisque c'est
Lui-même qui nous a refusé les moyens de le connaître ?
Mais, par votre foi, mon petit animal, si la créance de

Dieu nous était si nécessaire, enfin si elle nous importait
de l'éternité, Dieu lui-même ne nous en aurait-il pas
infus à tous des lumières aussi claires que le soleil qui
ne se cache à personne? Car de feindre qu'il ait voulu
[jouer] entre les hommes à cligne-musette, faire comme
les enfants : « Toutou, le voilà », c'est-à-dire : tantôt se
masquer, tantôt se démasquer, se déguiser à quelques-
uns pour se manifester aux autres, c'est se forger un
Dieu ou sot ou malicieux, vu que si ç'a été par la force
de mon génie que je l'ai connu, c'est lui qui mérite et
non pas moi, d'autant qu'il pouvait me donner une âme
ou des organes imbéciles qui me l'auraient fait mécon-
naître. Et si, au contraire, il m'eût donné un esprit
incapable de le comprendre, ce n'aurait pas été ma faute,
mais la sienne, puisqu'il pouvait m'en donner un si vif
que je l'eusse compris.

Ces opinions diaboliques et ridicules me firent naître
un frémissement par tout le corps; je commençai alors
de contempler cet homme avec un peu plus d'attention
et je fus bien ébahi de remarquer sur son visage je ne
sais quoi d'effroyable, que je n'avais point encore aperçu :
ses yeux étaient petits et enfoncés, le teint basané, la
bouche grande, le menton velu, les ongles noirs. O Dieu,
songeai-je aussitôt, ce misérable est réprouvé dès cette
vie et possible même que c'est l'Antéchrist dont il se
parle tant dans notre monde.

Je ne voulus pas pourtant lui découvrir ma pensée,
à cause de l'estime que je faisais de son esprit et véritablement les favorables aspects dont Nature avait regardé
son berceau m'avaient fait concevoir quelque amitié pour
lui. Je ne pus toutefois si bien me contenir que je n'écla-
tasse avec des imprécations qui le menaçaient d'une
mauvaise fin. Mais lui, renviant sur ma colère : « Oui,
s'écria-t-il, par la mort... » Je ne sais pas ce qu'il pré-
méditait de dire, car sur cette entrefaite, on frappa
à la porte de notre chambre et je vois entrer un grand
homme noir tout velu. Il s'approcha de nous et saisis-
sant le blasphémateur à foie de corps, il l'enleva par la
cheminée.

La pitié que j'eus du sort de ce malheureux m'obligea
de l'embrasser pour l'arracher des griffes de l'Ethiopien,
mais il fut si robuste qu'il nous enleva tous deux, de
sorte qu'en un moment nous voilà dans la nue. Ce n'était
plus l'amour du prochain qui m'obligeait à le serrer
étroitement, mais l'appréhension de tomber. Après avoir

été je ne sais combien de jours à percer le ciel, sans savoir
ce que je demanderais, je reconnus que j'approchais de
notre monde. Déjà je distinguais l'Asie de l'Europe et
l'Europe de l'Afrique. Déjà même mes yeux, par mon
abaissement, ne pouvaient se courber au delà de l'Italie,
quand le cœur me dit que ce diable, sans doute, empor-
tait mon hôte aux Enfers, en corps et en âme, et que
c'était pour cela qu'il le passait par notre terre à cause
que l'Enfer est dans son centre. J'oubliai toutefois cette
réflexion et tout ce qui m'était arrivé depuis que le
diable était notre voiture à la frayeur que me donna la
vue d'une montagne toute en feu que je touchais quasi.
L'objet de ce brûlant spectacle me fit crier « Jésus Ma-
ria ». J'avais encore à peine achevé la dernière lettre
que je me trouvai étendu sur les bruyères au coupeau
d'une petite colline et deux ou trois pasteurs autour de
moi qui récitaient les litanies et me parlaient italien.
« O! m'écriai-je alors, Dieu soit loué! J'ai donc enfin
trouvé des chrétiens au monde de la lune. Hé! dites-moi
mes amis, en quelle province de votre monde suis-je
maintenant ? » « En Italie », me répondirent-ils. « Comment! interrompis-je. Y a-t-il une Italie aussi au monde
de la lune ? » J'avais encore si peu réfléchi sur cet accident que je ne m'étais pas encore aperçu qu'ils me
parlaient italien et que je leur répondais de même.

Quand donc je fus tout à fait désabusé et que rien
ne m'empêcha plus de connaître que j'étais de retour en
ce monde, je me laissai conduire où ces paysans voulurent
me mener. Mais je n'étais pas encore arrivé aux portes
de... que tous les chiens de la ville se vinrent précipiter
sur moi, et sans que la peur me jeta dans une maison
où je mis barre entre nous, j'étais infailliblement englouti.

Un quart d'heure après, comme je me reposai dans
ce logis, voici qu'on entend à l'entour un sabbat de tous
les chiens, je crois, du royaume; on y voyait depuis le
dogue jusqu'au bichon, hurlant de plus épouvantable
furie que s'ils eussent fait l'anniversaire de leur premier
Adam.

Cette aventure ne causa pas peu d'admiration à toutes
les personnes qui la virent; mais aussitôt que j'eus éveillé
mes rêveries sur cette circonstance, je m'imaginai tout à
l'heure que ces animaux étaient acharnés contre moi à
cause du monde d'où je venais; « car, disais-je en moi-
même, comme ils ont accoutumé d'aboyer à la Lune, pour
la douleur qu'elle leur fait de si loin, sans doute ils se

sont voulu jeter dessus moi parce que je sens la lune dont l'odeur les fâche. »

Pour me purger de ce mauvais air, je m'exposai tout nu au soleil dessus une terrasse. Je m'y halai quatre ou cinq heures durant, au bout desquelles je descendis, et les chiens, ne sentant plus l'influence qui m'avait fait leur ennemi, s'en retournèrent chacun chez soi.

Je m'enquis au port quand un vaisseau partirait pour la France et, lorsque je fus embarqué, je n'eus l'esprit tendu qu'à ruminer aux merveilles de mon voyage. J'admirai mille fois la providence de Dieu, qui avait reculé ces hommes, naturellement impies, en un lieu où ils ne pussent corrompre ses bien-aimés et les avait punis de leur orgueil en les abandonnant à leur propre suffisance. Aussi je ne doute point qu'il n'ait différé jusqu'ici d'envoyer leur prêcher l'Evangile parce qu'il savait qu'ils en abuseraient et que cette résistance ne servirait qu'à leur faire mériter une plus rude punition en l'autre monde.

# LETTRES DIVERSES

# PRÉFACE

Les *Lettres* choisies pour figurer dans ce recueil se retrouvent toutes dans le manuscrit de 1651, déposé à la Bibliothèque nationale, sauf trois d'entre elles, *Sur une énigme*, *Pour les sorciers*, *Contre les sorciers*, qui n'apparaissent que dans le recueil de 1654. Il pouvait sembler inutile de se reporter au manuscrit, alors que nous disposions d'une édition parue du vivant de Cyrano. L'argument n'a pas semblé décisif, pour deux raisons :
— il était intéressant de préférer, tant pour les *Lettres* que pour *L'Autre Monde*, le manuscrit au texte imprimé ; on disposait ainsi (sauf pour les trois lettres citées) d'un ensemble homogène, se prêtant mieux à une lecture comparative.
— il n'était pas certain que la coupure traditionnelle entre les faits de style et les audaces de la pensée fût légitime ; il y a en effet une police de l'écriture, qui, pour ne pas servir ouvertement l'idéologie régnante, confirme avec discrétion les hiérarchies en place. Les connotations familières ou glorieuses connotent elles-mêmes la coupure sociale entre les Grands et le peuple. Les chiens raciniens dévorent ; le chien rustique mange. Il en est de même pour le feu, qui, dans la *Lettre contre l'hiver*, selon le texte imprimé, se dévore, et, selon le manuscrit, se mange. Les titres ont également une grande importance, l'art du camouflage règne en ce domaine : *L'Apothéose d'un ecclésiastique bouffon* (manuscrit) devient *A Messire Jean* (imprimé). Parfois le substitution est plus subtile ; la tonalité verlainienne du titre : *Sur l'ombre que faisaient des arbres dans l'eau* séduira peut-être davantage que la dénomination primitive : *Des miracles de rivière*, à moins de préférer l'ambiguïté d'une formulation qui renvoie aussi bien à une critique de l'illusion qu'au plaisir immergé dans ce reflet.

Le genre épistolaire est parfois subdivisé en sous-groupes : d'un côté, les correspondances, avec leur poids de nouvelles, et de réel, de l'autre ces brefs monuments littéraires où l'écrivain inscrit la fiction du message. Il est plus malaisé de définir aussi catégoriquement de quel univers relèvent les lettres descriptives ou satiriques de Cyrano. En effet, s'il est bien évident que leur destination est le livre, il est moins sûr qu'il faille tracer une ligne entre deux types d'activité, l'une fournissant un faisceau d'informations, l'autre visant un effet poétique ou polémique. L'énonciation du désir y prend des formes complexes; on en donnera deux exemples :

La lettre sur le *Cyprès* commence par ces mots :

> « Monsieur, j'avais envie de vous envoyer la description d'un cyprès, mais je ne l'ai qu'ébauché, à cause qu'il est si pointu que l'esprit même ne saurait s'y asseoir, sa couleur et sa figure me font souvenir d'un lézard renversé, qui pique le ciel en mordant la terre. »

Ici s'amorce le mouvement, qui, de proche en proche, va conduire à ce terme de la lettre où l'ébauche s'achève et, revenant sur son point de départ, transforme en acte d'écriture le désir tracé d'une description. Si l'on se souvient du rôle joué par la description dans *L'Autre Monde*, on ne s'étonnera plus que le « trop écrire » soit figuré comme la menace dont on s'approche en la fuyant, et que l'objet *Description* une fois constitué ne puisse parvenir à son destinataire, à moins de le défaire indéfiniment dans le spectacle de son ébauche. La lettre est, dans le discours classique, un des lieux privilégiés où se représente la transformation du texte à écrire en texte déjà écrit.

Autre exemple, Cyrano, dans sa lettre *Contre Soucidas*, reniant son ancienne amitié pour le poète d'Assoucy, lui lance cette mise en demeure brutale :

> « Hé par la mort, je trouve que vous êtes bien impudent de demeurer en vie, après m'avoir offensé; vous qui ne tenez lieu de rien au monde, ou qui n'êtes au plus qu'une gale aux fesses de la nature... »

et il ajoute un peu plus loin :

> « Je veux que vous mouriez tout présentement; puis selon que mon tempérament me rendra miséricordieux, je vous ressusciterai pour lire ma lettre. »

Ici, opère un double renversement : l'injure s'exaspère
de viser un ami ancien; l'anagramme Soucidas (pour
Dassoucy) illustre la fonction agressive de la permuta-
tion. La lettre polémique énonce un désir d'anéantissement; elle soumet son destinataire au spectacle des
perturbations verbales, où il joue le rôle — passif — du
coupable châtié. Ce Rien désigné par l'écrivain est cependant nécessaire à la production du message : « Je vous
ressusciterai pour lire ma lettre. » La fiction, loin d'être
circonscrite, circule à travers un champ social où tout
écrivain est l'enjeu d'un spectacle. Cette menace d'annu-
lation pèse aussi sur l'écriture. Cyrano, accusant son ami
La Mothe Le Vayer de plagiat *(Contre La Mothe, brigand
de pensées)*, ironise en ces termes :

> « On peut bien penser que ce ne sont pas des
> choses inventées, qu'il ait inventées, à la vérité c'est
> entretenir une imprimerie à bon marché que d'avoir
> un ami de la sorte. Pour moi je m'imagine, à la
> barbe de tous ces beaux manuscrits, que si quelque
> jour à l'agonie je fais restitution du bien d'autrui,
> nous trouverons après sa mort une Bibliothèque de
> papier blanc. »

Le texte imprimé est plus clair et moins ramassé :

> « si on inventorie le Cabinet de ses livres, c'est-à-
> dire de ceux qui sont sortis de son génie, tous ces
> ouvrages ensemble, ôtant ce qui n'est pas de lui,
> composeront une bibliothèque de papier blanc. »

On pressent qu'une telle menace pèse aussi sur celui qui
l'énonce; la lettre d'injure, en désignant le fautif, éloigne
un péril où le sujet écrivant est lui-même inscrit. L'intérêt
de Cyrano pour une sorcellerie hallucinatoire (cf. la
lettre *Pour les sorciers*) est peut-être plus trouble qu'il
n'y paraît; les rites magiques, loin de disparaître par
enchantement, produisent ailleurs leur effet. La lettre
n'est-elle pas une « herbe de fourvoiement », ou ce substitut de l'image de cire, qui me permet de me défaire de
mes ennemis, « la piquant ou la jetant au feu pour faire
sentir à l'original » ce que je fais souffrir à la copie. Un
désir du livre noir vient s'opposer à la hantise de la
bibliothèque blanche.
Entre la production de *L'Autre Monde* et le discours
apparemment plus frivole de la lettre, se tisse le va-et-
vient d'un Sens. Aussi bien, le désir de description, et
ce vertige de l'ébauche, le péril littéral d'écrire un texte

insignifiant dont s'effacent fictivement les caractères
hantent profondément l'œuvre de Cyrano.

Plutôt que de marquer d'emblée entre les divers types
d'expression choisis par l'écrivain un certain nombre de
différences dues au genre (théâtre — récit — lettre —
pamphlet — pointe), au choix politique ou idéologique,
voire à la maîtrise affirmée d'une technique, il est possible de lire l'ensemble des textes qui nous ont été trans-
mis comme un espace où s'articulent entre les constantes
et les variables des rapports. On donnera ici une esquisse
d'une telle méthode, en rapprochant *La Lettre pour les
sorciers* des premières pages de *L'Autre Monde*. Une
relation est posée, par exemple, entre la lecture et la
promenade.

> « Afin donc de commencer mon histoire, vous
> saurez qu'hier lassé sur mon lit de l'attention que
> j'avais prêtée à ce sot livre que vous m'aviez autre-
> fois tant vanté, je sortis à la promenade pour dis-
> siper les sombres et ridicules imaginations dont le
> noir galimatias de sa science m'avait rempli. »

On peut admettre la banalité d'un tel enchaînement, tout
au moins sa fréquence dans les récits de l'époque (mais
aussi dans la littérature fantastique des XVIIIe et
XIXe siècles). Cet épisode renvoie en fait à une syntaxe
narrative dont il est possible de préciser le fonctionne-
ment. La lecture précède et motive la promenade;
celle-ci, qui vise à renverser les propositions contenues
dans le livre, confirme en fait ce qui devait s'effacer;
et la promenade devient, livre fermé, une lecture en
plein vent des signes imaginaires. Ainsi, sont réintro-
duites dans notre lecture les fantasmagories d'un premier
lecteur, fictivement sorties hors de leur lieu d'élection,
le livre de magie. Au début de *L'Autre Monde*, la promenade précède la lecture; elle apparaît comme l'espace
privilégié d'une rêverie hésitant entre deux lectures de
l'univers : d'une part un jeu verbal, clos sur lui-même
et sur des représentations archaïques, d'autre part une
définition hardie, que viendra confirmer le signe du
livre ouvert, comme si le recours au texte restait nécessaire, fantasmatiquement, pour sceller le pacte moderne
entre la vérification expérimentale et l'hypothèse ver-
bale; à cette différence près que l'assujettissement au
livre est lui-même brisé dans cette sortie hors du monde,
tandis que la lecture magique ne cesse de ramener vers
le livre les signes échappés dans la nature. Cette relation

entre le livre et la promenade est elle-même variable,
et chacun des textes évoqués se différencie à partir des
éléments identiques qui le constituent. La pleine lune
de la sorcellerie, et la lune du Voyage, Agrippa et le
démon de Socrate, les figures du tourbillon, de l'enve-
loppement, le chiffre quatre et ses vertus ; la liste n'est
pas close, des variations élaborées à partir d'un jeu symbolique. Il ne s'agit pas de choisir entre un Cyrano
occultiste ou rationaliste, mais de construire les diverses
combinaisons où entrent ces figures. La relation de tel
passage avec un texte alchimique ou avec un traité philo-
sophique ne prouve rien, à moins de marquer comment
s'insère ce fragment dans le tissu discursif. Ces rappro-
chements devraient être systématisés, sans qu'on puisse
poser au départ le principe d'un modèle unique, d'une
« machine » où viendraient se loger les diverses formules
de lecture dont nous usons. Par contre, en poussant des
recherches de ce type, on obtiendrait sans doute une
représentation différente des notions de genre, de vérité et
d'erreur, de vraisemblance ou d'invraisemblance. Les
catégories fourre-tout où nous rangeons depuis des
siècles des textes qui s'acharnent à déborder leur dénomination apparaîtraient dès lors pour ce qu'elles sont —
des étiquettes grossièrement dessinées, désignant une
qualité arbitrairement prélevée sur la somme des pré-
dicats ; mais ne pouvant rendre compte, par définition,
que des traits identifiés à l'aide de cette catégorie. On
se persuaderait plus aisément qu'une logique combina-
toire est à l'œuvre, qui transcende les frontières des
genres ; on admettrait du même coup que la lettre d'une
affirmation ne vaut que par les relations qu'elle tisse avec
sa négation, que le réseau de ses répétitions altère insen-
siblement sa formule primitive.

Les *Lettres* proposées ici à la lecture sont un double
de *L'Autre Monde ;* entre les deux textes, par un jeu de
renvois, d'allusions, et de redondances, se tisse une
seconde lecture. Nous donnerons là encore deux exemples
de cette intertextualité. Ce n'est pas un hasard si un
fragment d'une lettre intitulée *Le Campagnard* (qui n'a
pas été choisie pour figurer dans ce recueil) se retrouve,
à quelques détails près qui ont leur importance, dans
la description du Paradis terrestre, juste avant la rencontre par le narrateur du prophète Elie :

> Là le printemps compose toutes les saisons, là ne
> germe jamais de plante vénéneuse que sa naissance

aussitôt ne trahisse sa conservation; là les ruisseaux racontent leurs voyages aux cailloux, là mille petites voix emplumées font retentir la forêt au bruit de leurs chansons et la trémoussante assemblée de ces gosiers mélodieux est bien si générale qu'il semble que chaque feuille dans le bois ait pris la figure et la langue d'un rossignol [les lignes qui suivent ne se retrouvent pas dans *L'Autre Monde*] : tantôt vous leur oyez mignardement chatouiller un concert, tantôt traîner et faire languir piteusement leur musique, tantôt entrecouper une élégie, de soupirs fort lugubres, tantôt ressusciter leur harmonie, et parmi les roulades, les fugues, les crochets et les éclats, jeter l'âme et la voix tout ensemble [1]...

La lettre fonctionne comme une micro-utopie, dans la mesure où la description, selon la tradition rhétorique qui confond l'énumération des qualités et l'éloge de l'objet ou du personnage, tend à susciter un désir de la chose absente, et le désir même de la description, vidée de ses particularités. Mais ce désir est lui-même trahi; la musique, on s'en souvient peut-être, est un des deux idiomes usités dans la cité lunaire; tout se passe donc comme si la description logeait en elle son propre effacement, et le désir inassouvi d'être remplacée par un autre système, plus capable de mesurer la jouissance. Entre le travail de l'écriture, et la représentation utopique, s'instaure un jeu de relations qui déborde infiniment le genre (romanesque, épistolaire).

---

1. Citons encore deux fragments de la même lettre : la description utopique et les adolescents lunaires ne sont pas loin.

« Monsieur, j'ai trouvé le Paradis d'Eden, j'ai trouvé l'âge d'or, j'ai trouvé la jeunesse perpétuelle, enfin j'ai trouvé la nature au maillot; nous sommes grands cousins, le porcher du village et moi; ... moi, d'ici, j'imagine les grimaces que vous faites à la cour; un gentilhomme champêtre est un prince inconnu. »

« Si vous aviez vu le garçon qui garde mes codindes, le ventre couché sur l'herbe... le coquin est plus puissant que moi, et mes horions ne paient pas ses taloches. Je me tiens pourtant le moins que je peux en proie à ses mignardises; le beau temps et mon humeur m'entraînent à la solitude. »

S'adressant à Soucidas-Dassoucy, Cyrano écrit :

> « Quand je vous contemple si décharné, je m'imagine que vos nerfs sont assez secs et assez préparés pour exciter, en vous remuant, ce bruit que vous appelez langage; c'est infailliblement ce qui est cause que vous jasez et frétillez sans intervalle : apprenez-moi donc, de grâce; si vous parlez à force de remuer, ou si vous remuez à force de parler. »

Ce passage peut être commenté par un fragment de *L'Autre Monde* :

> « Le second idiome qui est en usage chez le peuple s'exécute par le trémoussement des membres, mais non pas peut-être comme on se le figure, car certaines parties du corps signifient un discours tout entier. L'agitation par exemple d'un doigt, d'une main, d'une oreille, d'une lèvre, d'un bras, d'un œil, d'une joue, feront chacun en particulier une oraison ou une période avec tous ses membres... »

Le simple rapprochement de ces deux textes laisse apparaître comment le corps reste pour Cyrano l'utopie la plus prochaine et la plus efficace; signe chez l'adversaire de toutes les hontes, il s'inscrit dans le livre, comme substitut fictif du langage, chassant celui-ci hors de sa certitude. La musique et le corps ne sont pas dans les *Lettres* absents; ou plus précisément leur présence évocatoire se fixe dans la description et le discours polémique comme forme privilégiée de cette absence. L'intervalle entre un idiome des Grands et un idiome du peuple scande l'œuvre entière de Cyrano; l'utopie, se retournant vers le langage qui l'abrite, désigne infiniment les écarts d'une société et les contradictions qui la désarticulent.

# LETTRES DIVERSES

## L'HIVER

Monsieur,

C'est à ce coup que l'hiver a noué l'aiguillette à la Terre; il a rendu la matière impuissante, et l'esprit même, pour être incorporel, n'est pas en sûreté contre sa tyrannie; mon âme a tellement reculé sur elle-même, qu'en quelque endroit aujourd'hui que je me touche, il s'en faut plus de quatre doigts que je n'atteigne où je suis; je me tâte sans me sentir, et le fer aurait ouvert cent portes à ma vie, auparavant de frapper à celle de la douleur : enfin nous voilà presque paralytiques, et cependant pour creuser sur nous une plaie dans une blessure, Dieu n'a créé qu'un baume à notre mal, encore le Médecin qui le porte ne saurait arriver ici qu'après avoir délogé de six maisons. Ce paresseux est le Soleil, vous voyez comme il marche à petites journées; il se met en chemin à huit heures, prend gîte à quatre. Je pense qu'à mon exemple il trouve qu'il fait trop froid pour se lever si matin; mais Dieu veuille que ce soit la paresse seulement qui le retienne, et non pas le dépit; car il me semble que depuis plusieurs mois il nous regarde de travers. Nous-même quelquefois des semaines sans le voir, pour moi, je n'en puis deviner la cause, si ce n'est qu'après avoir lâchement reculé devant le froid, il avait honte de se montrer ou qu'ayant vu la terre endurcie par la gelée, il n'ose plus monter si haut de peur de se blesser en tombant. Ainsi nous ne sommes pas près de nous venger des outrages que la saison nous fait; il ne sert quasi rien au feu de s'échauffer contre elle, sa rage n'aboutit (après avoir bien pétillé) qu'à le contraindre de se manger soi-même plus vite. Nous avons donc

beau prendre le bouclier, l'hiver est une morte de six
mois répandue sur tout un côté de cette boule, que
nous ne saurions éviter ; c'est une courte vieillesse des
choses animées ; c'est le frère puîné de la Parque qui
(tout braves que nous soyons) ne nous approche jamais
sans nous faire trembler : notre chair poreuse, délicate,
étendue, se ramasse, s'endurcit, s'empresse à fermer ses
avenues, à barricader un million d'invisibles portes, à
les couvrir de petites montagnes ; elle se meut, s'agite,
se débat, et dit pour excuse en rougissant, que ces fré-
missements sont des sorties qu'elle fait à dessein de
repousser l'ennemi qui gagne ses dehors. Enfin ce n'est
pas merveille que nous subissions le destin de tous les
vivants ; mais le barbare ne s'est pas contenté d'avoir ôté
la langue à nos oiseaux, d'avoir déshabillé nos arbres,
d'avoir coupé les cheveux à Cérès, et d'avoir mis notre
grand'mère toute nue ; afin que nous ne puissions nous
sauver par eau dans un climat plus doux, il les a [toutes]
renfermées sous des murailles de diamant ou bien possible
de peur qu'elles n'excitassent par leur mouvement, quelque chaleur qui nous pût soulager, il les a clouées contre
leur lit. Et pour nous effrayer, même par l'image des
prodiges qu'il invente à notre destruction, il nous fait
prendre de la glace pour une lumière endurcie, un jour
pétrifié, un solide néant, ou quelque monstre épouvantable dont le corps n'est qu'un œil. La Seine au commencement s'en est troublée, puis craignant dans un si
grand désordre quelque chose de funeste, afin de se
rendre attentive à la fortune de ses habitants, elle se
roidit contre le poids qui l'entraîne, se suspend et se
lie elle-même pour s'arrêter ; à la vérité tout ce qui part
des mains d'un si malicieux ouvrier m'épouvante : s'il
neige, je m'imagine que c'est peut-être au Firmament
le chemin de lait qui se dissout, et que la terre, craignant
pour ses enfants, en blanchit de frayeur. Si je vois de
tous côtés la campagne couverte de ce liquide et mortel
arsenic, je me figure l'univers comme une tartelette et
l'hiver comme un grand animal qui la sucre pour l'avaler. Quelquefois quand je veux expliquer les choses à
ma consolation, je me persuade que la neige est le lait
végétatif que les Astres font téter aux plantes ; ou les
miettes qui tombent après Grâces de la table des Dieux,
lorsqu'il grêle je m'écrie : « Quels maux nous sont réser-
vés, puisque le Ciel innocent est réduit à pisser la gra-
velle ? », si je songe à définir ces vents glacés tellement

solides qu'ils renversent des tours, et tellement déliés
qu'on ne les voit point, je ne saurais soupçonner ce que
c'est, sinon une brouine de démons échappés, qui s'étant
morfondus sous terre, courent ici pour s'échauffer et
ces autres petits vents qui brûlent à force d'être froids,
je m'imagine que c'est l'âme des plantes qui se meurent
ou les derniers soupirs de la nature agonisante. Enfin
tout ce qui me représente l'Hiver me fait peur. Je ne
puis supporter le spectacle d'un miroir à cause de sa
glace; je fuis les petits Médecins, parce qu'on les
nomme des Médecins des neiges, et pour convaincre le
froid de sa malignité, c'est que dans toutes les maisons
de Paris on rencontre fort peu de gelée qu'on n'y trouve
un malade auprès. Mais je ne puis pas même me faire
accroire que la Saint-Jean me guérisse entièrement des
maux de Noël, quand je songe qu'il me faudra voir
encore, aux fenêtres, de grandes vitres qui ne sont autre
chose qu'une tapisserie de glaçons endurcis au feu. Oui,
cet impitoyable m'a mis en si mauvaise humeur que le
mois d'août ne m'en purgera peut-être pas; la moindre
sueur me fera dire que l'Hiver est le frisson de la Nature,
et que l'Eté en est la fièvre; car juger si je me plains à
tort, et si tous les gueux grelottant malgré cette saison
qui leur donne autant de perles que de roupies ne disent
pas en m'oyant pester contre elle : voilà ce que nous
avons pensé tant de fois et que nous ne pouvions dire.
Quelles rigueurs en effet n'exerce-t-elle point contre la
populace ! Là sous le robinet d'une fontaine, le gelé
porteur d'eau contraint son cœur, en soufflant, de rendre
à ses mains la vie qu'il leur a dérobée! Là contre le
pavé le soulier du marcheur fait plus de bruit qu'à l'ordinaire, à cause qu'il a des cloches aux pieds! Là le
fainéant gredin sur le ruisseau glacé des rues, immobile
sur un char immobile, glisse, roule et nage debout avec
une vitesse si rapide que je ne puis exprimer son
action que par un mot qui signifie quelque chose entre
voler et courir. Là, l'écolier fripon, une pelote de neige
entre les doigts, attend son camarade au passage, pour
lui noyer le visage dans un morceau de rivière; enfin
de quelque côté que je me tourne, la gelée est si grande
que tout se prend jusques aux manteaux. A dix heures
du soir, le filou morfondu sous un auvent grelotte, et se
console parce qu'il regarde le passant comme un tailleur
qui lui apporte son habit. Enfin les froidures sont cause
qu'il ne soit pas lui-même Turc ou Chrétien, étant le

jour sous la croix et la nuit en armes sous le croissant.
Lorsqu'il prendra fantaisie à l'Hiver, ce vieil endurci,
d'aller à la confesse, voilà, Monsieur, l'examen de sa
conscience à un péché près, car c'est un cas réservé dont
je refuse l'absolution. Vous-même jugez s'il est par-
donnable! il me vient d'engourdir les doigts, afin de
vous persuader que je suis un froid Ami, puisque je
tremble quand il est question de me dire, Monsieur,
votre Serviteur.

### L'ÉTÉ

Monsieur,

Que ne diriez-vous point du Soleil s'il vous avait rôti
vous-même, puisque vous vous plaignez de lui lorsqu'il
hâte l'assaisonnement de vos viandes? De toute la
terre il n'a fait qu'une grande marmite; il a dessous attisé
l'Enfer pour la faire bouillir; il a disposé les vents tout
autour (comme des soufflets) afin de l'empêcher de
s'éteindre, et lorsqu'il rallume le feu de votre cuisine,
vous vous en formalisez; il échauffe les eaux, il les dis-
tille, il les rectifie de peur que leur crudité ne vous nuise,
et vous lui chantez pouille pendant même qu'il boit à
votre santé! Pour moi, je ne sais pas en quelle posture
dorénavant se pourra mettre ce pauvre Dieu, pour être
notre gré. Il envoie à notre lever les oiseaux nous donner
la musique; il échauffe nos bains, et ne nous y invite
point qu'il n'en ait essayé le péril en s'y plongeant le
premier. Que pouvait-il ajouter à tant d'honneur, sinon
de manger à notre table? Mais jugez ce qu'il demande
quand il n'est jamais plus proche de nos maisons qu'à
midi. Plaignez-vous, Monsieur, après cela, qu'il dessèche
l'humeur des rivières. Hélas! sans cette attraction, que
serions-nous devenus? les fleuves, les lacs, les fontaines
ont sucé toute l'eau qui rendait la terre féconde, et l'on
se fâche qu'au hasard d'en faire gagner l'hydropisie à la
moyenne région, il prenne la charge de la repuiser, et de
promener par le Ciel les nues, ces grands arrosoirs, dont
il éteint la soif de nos campagnes altérées, encore dans
une saison où il est si fort épris de notre beauté, qu'il nous
veut voir tout nus. J'ai bien de la peine à m'imaginer, s'il
n'attirait à soi beaucoup d'eau pour y mouiller et rafraîchir ses rayons comment il nous baiserait sans nous brûler; mais quoi qu'on dise, nous en avons toujours de

reste; car au temps même que la Canicule, par son ardeur, ne nous en laisse précisément que pour la nécessité, n'a-t-il pas soin de faire enrager les chiens de peur qu'ils n'en boivent ? Vous fulminez encore contre lui, sur ce qu'il dérobe (dites-vous) jusques à nos ombres : il nous les ôte (je l'avoue) et il n'a garde de les laisser auprès de nous, voyant qu'à toute heure elles se divertissent à nous effrayer; voyez comme il monte au plus haut de notre horizon pour les mettre à nos pieds, et pour les reco-gner sous terre d'où elles sont parties. Quelque haine cependant qu'il leur porte, quelque proche de leur fin qu'elles se trouvent, il leur donne la vie quand nous nous mettons entre deux; c'est pourquoi ces noires filles de la nuit courent tout à l'entour de nous pour se tenir à cou-vert des armes du Soleil, sachant bien qu'il aimera mieux s'abstenir de la victoire, que de se résoudre à les tuer au travers de nos corps. Ce n'est pas que durant toute l'année il ne soit pour nous tout en feu; et il le montre assez, n'en reposant ni nuit ni jour. Mais en Eté toute-fois sa passion devient bien autre : il brûle, il court, il semble dévaler de son cercle; et se voulant jeter à notre col, il en tombe si près, que pour légère que soit l'Es-sence d'un Dieu, la moitié des hommes tous ensemble dégoutte de sueur en le portant. Nous ne laissons pas toutefois de nous affliger quand il nous quitte; les nuits mêmes sympathisant à sa complexion deviennent claires et chaudes, à cause qu'à son départ il a laissé sur l'Hori-zon une partie de son équipage, comme ayant à revenir bientôt. Le mois de Mai véritablement germe les fruits, les noue et les grossit; mais il leur laisse une âpreté mor-telle qui nous étranglerait, si celui de juin n'y passait du sucre. Possible m'objectera-t-on que par ses chaleurs excessives, il met les herbes en cendres, et qu'ensuite il fait couler dessus des orages de pluie; comme s'il avait grand tort (nous voyant tout salis du hâle) de nous mettre à la lessive ? Et je veux qu'il fût brûlant jusqu'à nous consumer, ce serait au moins une marque de notre paix avec Dieu, puisque autrefois chez son peuple il ne faisait descendre le feu du Ciel que sur les Victimes puri-fiées. Encore s'il nous voulait brûler, il n'enverrait pas la rosée pour nous rafraîchir, cette belle rosée qui nous fait croire par ses infinies gouttes de lumière, que le flam-beau du monde est en poudre dedans nos prés; qu'un million de petits Cieux sont tombés sur la terre, ou que c'est l'âme de l'Univers qui ne sachant quel honneur

rendre à son Père, sort au-devant de lui, et le va recevoir
jusque sur la pointe des herbes. Les villageois s'imaginent
tantôt que ce sont des poux d'argent tombés au matin de
la tête du Soleil qui se peigne; tantôt la sueur de l'air
corrompue par le chaud, où des vers luisants se sont mis;
tantôt la salive des Astres qui leur tombe de la bouche
en dormant; mais enfin, quoi que ce puisse être, il n'importe : fût-ce les larmes de l'Aurore, elle s'afflige de trop
bonne grâce pour ne nous pas réjouir; et puisque c'est
le temps où la Nature nous met à même ses trésors, le
Soleil en personne assiste aux couches de Cérès, et chaque
épi de blé paraît une boulangerie de petits pains de lait
qu'il a pris la peine de cuire. Qu'ajouter à la supputa-
tion des présents qu'il nous fait : il échauffe les plus
timides. Il est vrai que sa trop longue demeure avec nous
jaunit les feuilles, mais c'est pour composer de notre
climat le jardin des Hespérides, en attachant aux arbres
des feuilles d'or aussi bien que des fruits. Toutefois il a
beau tenir la campagne, il a beau dans son Zodiaque
s'échauffer avec le Lion, il n'aura pas demeuré vingt-
quatre heures chez la Vierge qu'il lui fera les doux yeux;
il deviendra tous les jours plus froid, et enfin, quelque
nom de pucelle qu'il laisse à la pauvre fille, il sortira de
son lit tellement énervé, que six mois à peine le guériront
de cette impuissance. Oh! que j'ai cependant peur de
voir croître l'Eté, parce que j'ai peur de le voir diminuer;
c'est lui qui débarrasse l'eau, le bois, le métal, l'herbe, la
pierre, et tous les Corps différents que la gelée avait fait
venir aux prises : il apaise leurs froideurs, il démêle leurs
antipathies, il moyenne entre eux un échange de prisonniers, il reconduit paisiblement chacun chez soi; et
pour vous montrer qu'il sépare les natures les plus jointes,
c'est que n'étant vous et moi qu'une même chose, je
ne laisse pas aujourd'hui de me considérer séparément
de vous, pour éviter l'impertinence qu'il y aurait de me
mander à moi-même : Je suis, Monsieur, votre Serviteur.


LE PRINTEMPS

Monsieur,
    Ne pleurez plus, le beau temps est revenu, le Soleil s'est
réconcilié avec les hommes, et sa chaleur a fait trouver
des jambes à l'hiver, tout engourdi qu'il fût; il ne lui a

prêté de mouvements que ce qu'il lui en fallait pour
fuir, et cependant ces longues nuits qui semblaient ne
faire qu'un pas et une heure (à cause que pour être
obscures, elles n'osaient courir à tâtons) sont aussi loin
de nous que la première qui fit dormir Adam; l'air,
naguère si condensé par la gelée que les oiseaux n'y
trouvaient pas de place, semble n'être aujourd'hui qu'un
grand espace imaginaire où ces musiciens, à peine soute-
nus de notre pensée, paraissent de petits mondes balan-
cés par leur propre centre; le serein n'enrhumait pas
au pays d'où ils viennent, car ils font ici beau bruit :
ô Dieux, quel tintamarre! Sans doute ils sont en procès
pour le partage des terres dont l'Hiver par sa mort les a
faits héritiers : on peut bien juger tous les soirs que ça
était, à son grand regret, lui qui non content d'avoir
bouclé les animaux, avait glacé jusqu'aux rivières, afin
qu'elles ne produisent pas même des images. Ce vieux
jaloux avait malicieusement tourné vers eux ses miroirs
du côté vif-argent, et y seraient encore si le Printemps
à son retour ne les eût renversés. Aujourd'hui le bétail
s'y regarde nager en courant; la linotte et le pinson s'y
reproduisent sans perdre leur unité, s'y ressuscitent sans
mourir, et s'ébahissent qu'un nid si froid leur fasse
éclore en un moment des petits aussi grands qu'eux-
mêmes. Enfin nous tenons la Terre en bonne humeur,
nous n'avons dorénavant qu'à bien choyer ses bonnes
grâces. L'Hiver l'avait tellement endurcie contre nous
que déjà dépitée de s'être vu piller en automne par les
siens si le Ciel n'eût pleuré deux mois sur son sein, elle
ne se fut jamais attendrie; mais, Dieu merci, elle ne
se souvient plus de nos larcins, toute son attention n'est
aujourd'hui qu'à méditer quelque fruit nouveau; elle se
couvre d'herbe molle, afin d'être plus douce à nos pieds;
elle n'envoie rien sur nos tables qui ne regorge de son
lait; si elle nous offre des chenilles, c'est en guise de vers
à soie sauvages; et les hannetons sont de petits oiseaux
qui montrent qu'elle a eu soin d'inventer jusqu'à des
jouets pour nos enfants; elle s'étonne elle-même de sa
richesse, elle ne peut s'imaginer être la Mère de tout ce
qu'elle produit, et grosse à peine de quinze jours, elle
avorte de mille sortes d'insectes, parce que ne pouvant
toute seule goûter tant de plaisirs, elle ébauche à la hâte
des enfants contrefaits, pour avoir à qui faire du bien.
Ne semble-t-il pas, en attachant aux branches de nos
forêts des feuilles si touffues, que pour nous faire rire

elle se soit égayée à porter un pré sur un arbre ? Mais
parce qu'elle sait que les contentements excessifs sont
préjudiciables, elle force les fèves de fleurir pour modé-
rer notre joie, par la crainte de devenir fous ; c'est le seul
mauvais présage qu'elle n'ait point chassé de dessus
l'Hémisphère. Partout autre paix, la naissance est un jeu
si doux et si mêlé que je ne puis même le décrire avec
ordre : considérez le Zéphyr qui n'ose quasi respirer qu'en
tremblant, comme il agite les blés et les caresse. Ne diriez-
vous pas que l'herbe est le poil de la Terre, et que ce
vent est le peigne dont elle se sert pour le démêler. Je
pense que le Soleil aussi fait l'amour à cette saison, car
j'ai remarqué qu'en quelque lieu qu'elle se retire, il s'en
approche toujours. Ces insolents Aquilons qui nous bra-
vaient (surpris de sa venue) s'unissent à l'air pour (?)
se cachent dans les atomes et se tiennent cois sans bouger, de peur d'en être reconnus ; tout ce qui peut nuire
par sa vie est en pleine liberté. Il n'est pas jusqu'à notre
âme qui ne se répande plus loin que sa prison, afin de
montrer qu'elle n'en est pas contenue. Je pense que la
Nature est aux noces, on ne voit que danses, que concerts,
que festins, et qui voudrait chercher dispute, n'aurait pas
le contentement d'en trouver, sinon de celles qui dans
un jardin surviennent entre les fleurs par la beauté. Là,
possible, au sortir du combat, un œillet tout sanglant
tombe de lassitude ; là un bouton de rose enflé du mauvais succès de son Antagoniste, s'épanouit de joie ; là le
lis, ce colosse entre les fleurs, ce géant de lait caillé, glorieux de voir ses images triompher au Louvre, s'élève
sur ses campagnes, les regarde du haut en bas, et fait
prosterner devant soi la violette, qui, jalouse et fâchée de
ne pas se montrer aussi haut, redouble ses odeurs, afin
d'obtenir de notre nez la préférence que nos yeux lui
refusent ; là le gazon de thym s'agenouille humblement
devant la tulipe, à cause qu'elle porte un calice ; là (qui
l'eût jamais cru) le pauvre Monsieur de Rangouse planté
comme un oignon, mais un peu plus mal vêtu, stérile en
décrivant la stérilité, s'arrache les ongles, et pétille de
ce qu'entre un million de marguerites et de pensées, il
n'en trouve pas une qui se veuille laisser cueillir ; la
Terre d'un autre côté, dépitée que les arbres portent si
haut et si loin d'elle les bouquets dont elle les a couronnés,
refuse de leur envoyer des fruits, qu'ils ne lui aient
redonné ses fleurs. Cependant je ne trouve pas pour ces
disputes que le printemps en soit moins agréable ;

Mathieu Gareau saute de tout son cœur au brouet de sa
tante ; le plus mauvais garçon du village jure, par sa fi,
qu'il fera cette année grand-peur au pagegai ; le vigneron,
appuyé sur un échalas, rit dans sa barbe à mesure qu'il
voit pleurer sa vigne. Enfin l'exemple de la Nature me
persuade si bien le plaisir, que toute sujétion étant dou-
loureuse, je suis presque à regret, votre Serviteur.

### L'AUTOMNE

Monsieur,

Ha ! que j'aurais maintenant de plaisir à jurer contre
l'Automne, si je ne craignais de fâcher le Tonnerre.
Toutefois, il ne sera pas dit que le Ciel me parle si haut
sans que je lui réponde et sans que je fouette cette enragée saison qui le contraint de tuer avec un éclair, un tonnerre et un carreau, afin de mettre trois bourreaux dans
une mort : l'éclair s'allume pour étreindre notre vue à
force de lumière, et, précipitant nos paupières sur nos
prunelles, il nous fait passer de deux petites nuits, de
la largeur d'un double, dans une autre aussi grande que
l'Univers. L'air, en s'agitant, enflamme ses aposthumes ;
[en] quelque part où nous tournions la tête, un nuage
sanglant semble avoir déplié entre nous et le jour une
tenture de gris brun doublée de taffetas cramoisi ; la
Foudre engendrée dans la nue crève le ventre de sa mère
et la nue, grosse de lui, s'en délivre avec tant de douleur
que les montagnes les plus sauvages gémissent aux cris
de cet accouchement. L'Automne cependant, aux péchés
de laquelle il ne manquait plus que de faire imputer à son
Créateur les vices de la Nature, fait au vulgaire nommer
ce tintamarre les instruments de la Justice de Dieu ; et
admirez un peu, je vous prie, le bel ordre de cette Justice : Un misérable meurt, on l'enterre ; ce cadavre
pourri dans son linceul s'exhale à travers le gazon de sa
fosse, il monte et va se loger dans une nue où, s'étant
endurci par le choc, il crèvera peut-être au pied d'un
autel sur la tête de son fils qui priait pour son âme. Mais
quand il serait vrai qu'une chose si frêle fût le bras droit
du Tout-Puissant, il ne s'en suit pas pour cela qu'une
saison destinée à la Foudre (c'est-à-dire à nous massacrer) soit plus agréable que les autres, ou bien il faut
conclure que le temps le plus agréable de la vie d'un
criminel est celui de son exécution. Je crois qu'en suite

de ce funeste Météore, nous pouvons passer au vin, puisque c'est un Tonnerre liquide, un courroux potable, et un trépas qui fait mourir les ivrognes de santé. Il est cause, le furieux, quelques abstinents que nous soyons, que la définition qu'Aristote a donnée pour l'homme d'animal raisonnable soit fausse; au moins durant trois mois de l'année on peut dire du cabaret que c'est là où l'on vend la folie par bouteilles, et je doute même s'il n'est point allé jusque dans les Cieux faire sentir ses fumées au Soleil, voyant comme il se couche tous les jours de si bonne heure. La Terre en but tant au siècle de Copernic qu'elle s'en mit à pirouetter, et si maintenant elle se meut, ce sont assurément des SS que l'ivrognerie lui fait faire. Je ne laisse pas, néanmoins, d'aimer à voir l'eau-de-vie en abhorrant son père, à cause qu'elle m'est un témoignage qu'on a forcé le vin de rendre l'esprit. Nous voilà donc [en ce temps] condamnés à mourir de soif, puisque notre breuvage est empoisonné. Voyons si les fruits se sont sauvés de la rage de décembre. Hélas! pour un seul [fruit] qu'Adam mangea, cent mille personnes moururent qui n'étaient pas encore, et s'il en eût entamé un second, il eût infailliblement chassé la Terre à trente lieues de là. Toute la Nature est à présent partagée au supplice de ses criminels; elle-même les monte à la fourche, l'arbre les jette la tête en bas, le vent les secoue [et] le Soleil les détache et les oiseaux se saoulent de leurs troncs pourris. Après cela, Monsieur, ne trouvez pas mauvais que je me fâche qu'on dise : « Voilà du fruit en bon état », car comment y pourrait-il être, lui qui s'est pendu soi-même? Ici tous les champs sont bornés par des fruitiers où les coups de pierre vont à l'offrande, et n'est-ce pas une occasion de douter de l'innocence d'une race qu'on voit lapidée à chaque bout de champ? A considérer combien ils nous sont pernicieux, je ne saurais m'imaginer ce que ce peut être, sinon des Diables familiers plus ronds et moins mobiles que les autres; le bois qui les produit a soin de cacher ce péché avec des feuilles, comme s'il n'avait pas assez d'effronterie pour montrer à nu ses parties honteuses; mais maintenant qu'il en est dépouillé, et que sa verdure est tombée, on ne voit plus de feuilles qu'à l'Université. Les vers, les araignées et les chenilles ont gagné le coupeau des arbres, et tout chauves qu'ils sont, ils ne laissent pas d'avoir de la vermine à la tête. C'est encore là, sans doute, un des offices de l'Automne, qui, craignant que

nous ne mourussions d'une seule mort, après nous avoir
ôté les aliments, nous a donné du venin. Que nous pouvait-il rester de pur entre tant de choses dont l'usage
nous est nécessaire, sinon possible un peu d'air; mais elle
l'a suffoqué de contagion. Aujourd'huy la peste (cette
maladie sans queue) tient la mort pendue à la sienne;
elle renverse l'économie du monde, jusqu'à faire bien
souvent qu'un misérable né dans les haillons meurt couvert de pourpre, et jugez si le feu dont elle s'anime contre
nous est ardent, quand il suffit d'un charbon sur un
homme pour le consommer.

Voilà, Monsieur, les trésors de cette gentille saison,
avec qui vous pensiez avoir trouvé le secret de la corne
d'abondance. Nous devrions détester les autres, à cause
qu'elles la suivent ou la précèdent; elles ont toutes, à
son exemple, leur façon d'estropier; en hiver, ne réclamons-
nous pas Saint-Jean; au printemps, Saint-Mathu-
rin; en été, Saint-Hubert, et en automne, Saint-Roch?
Pour moi, je ne sais qui me tient que je ne me fasse
mourir de dépit de ne pouvoir vivre qu'en leur compagnie; mais encore celle-ci, la dernière des quatre, grosse
de foudres comme elle est, n'induit-elle pas à croire que
toute l'année est un monstre qui aboie par les pieds;
que c'est une harpie affamée qui mord du feu, pendant
que sa queue est dans l'eau qui se sauve d'un embrasement par un déluge et qui, vieille à quatre-vingts jours,
est si passionnée pour l'hiver qu'elle expire en le bai-
sant; mais ce qui me semble de bien prodigieux, c'est
que pour faire son image, je me suis abstenu de tremper
mon pinceau dans le sang qu'elle verse depuis tant de
lustres sur le visage de l'Europe, car je le devais faire
pour la punir de ce qu'ayant prodigué des fruits à tout
le monde, elle ne m'en a pas encore donné un qui puisse
vous dire, après ma mort, je suis votre Serviteur.

### CONTRE LA MOTHE, BRIGAND DE PENSÉES

Monsieur,

Puisque notre ami butine nos pensées, c'est une
marque qu'il nous estime, il ne les prendrait pas s'il ne
les croyait bonnes, et nous avons tort de nous estoma-
quer que n'ayant point d'enfants, il adopte les nôtres.
Ce qui me fâche, c'est qu'il attribue à son ingrate imagination les bons services que lui rend sa mémoire et qu'il

se dise le Père de mille [hautes] conceptions dont il n'a
été au plus que la sage-femme. Allons, [Monsieur,]
nous vanter après cela d'écrire mieux que lui, alors qu'il
écrit tout comme nous, et fâchons-nous qu'à son âge
il ait encore un Ecrivain chez lui, puisque nos œuvres
en seront plus lisibles; nous devrions, au contraire, recevoir les avertissements moraux qu'il nous débite avec
respect et n'en douter, non plus que de l'Evangile; car
on peut bien penser que ce ne sont pas des choses inventées qu'il ait inventées. A la vérité, c'est entretenir une
imprimerie à bon marché que d'avoir un ami de la sorte.
Pour moi, je m'imagine, à la barbe de tous ces beaux
manuscrits, que si quelque jour à l'agonie je fais resti-
tution du bien d'autrui, nous trouverons après sa mort
une bibliothèque de papier blanc. Je trouve pourtant
qu'il prouve mal la noblesse de ses pensées de n'en tirer
l'antiquité que d'un homme qui vit encore; mais possible
veut-il par là conclure à la Métempsycose, et montrer
que quand il se servirait des imaginations de Socrate, il
ne les volerait point pour ce qu'il a été ce Socrate qui
les imagina; et puis n'a-t-il pas assez de mémoire pour
être riche de ce bien-là seul? Comment! il l'a si grande
qu'il se souvient de ce qu'on a dit trente siècles auparavant qu'il fut au monde. Quant à moi qui suis un peu
moins souffrant que les morts, obtenez de lui qu'il me
permette de dater mes pensées, afin que ma postérité ne
soit point douteuse. Il y eut jadis une Déesse Echo, mais
je crois qu'il en est le Dieu, car il ne dit comme elle que
ce que les autres ont dit et le répète si mot à mot, que
transcrivant [l'autre jour] une de mes Lettres [il appelle
cela composer], il a de la peine de mettre votre serviteur
de La Mothe, parce qu'il y voit au bas, Votre Serviteur,
de Bergerac.

### CONTRE CHAPELLE, BRIGAND DE PENSÉES

Monsieur,
Après avoir échauffé contre nous cet homme qui
n'est que flegme, n'appréhendons-nous point qu'on nous
accuse un de ces jours d'avoir brûlé la rivière? Il parlera
lui seul autant que tous les livres, s'il ne meurt désormais
au bout de sa mémoire. Il n'ouvre jamais la bouche que
nous n'y trouvions un larcin, et lors même qu'il ne dit
mot, il dérobe cela aux muets! Nous sommes pourtant

de faux braves, et nous partageons mal les avantages du
combat, notre esprit ayant trois facultés de l'opposer au
sien, qui n'en a qu'une; c'est pourquoi s'il a dans la tête
beaucoup de [ce] vide, on lui doit pardonner, car comment eût-il pu la remplir avec le tiers d'une âme raisonnable; en récompense, il ne la laisse pas en friche. Il s'en
sert à piller tous les anciens, et ces grands Philosophes
qui croyaient s'être mis par la pauvreté [qu'ils profes-
saient] à couvert [d'impôts et] de contributions, lui
doivent [par jour], jusqu'au plus misérable, chacun une
rente de dix pensées, et ce Maltotier de conceptions les
taxe tous aux aisés selon leurs richesses, et croyez qu'il
les met bien à la raison, car il les fait bien parler français, encore ont-ils souvent le regret de voir à leurs nez
confisquer leurs œuvres pour n'avoir pas le moyen de
payer le traducteur. Il sait bien aussi, le finet, que la
Grèce et l'Italie relevant d'autres Princes que du nôtre,
on ne le recherchera pas en France des larcins qu'il aura
faits aux peuples de ces pays-là, et possible même qu'il
croit, à cause que les Païens sont nos ennemis, ne pouvoir rien butiner sur eux qui ne soit pris de bonne guerre.
A tout le moins devrait-il épargner leurs chétives com-
paraisons, car c'est marque d'avoir bien de la pente au
vol, de dérober jusques à des guenilles. Il ne doit donc
plus attendre de moi que je l'appelle, fût-ce en matière
de brigandage, le Phœnix de notre temps, s'il ne devient
écrivain sans comparaison. Comment la foudre n'est
pas assez loin de ses mains dans la moyenne région [de
l'air], ni les torrents de Thrace assez rapides pour empêcher qu'il ne les détourne jusques en ce Royaume. Il les
marie par force à ses similitudes. Je ne vois point cependant la raison de ce mauvais butin, si ce n'est que ce flegmatique, au lieu de laisser croupir ses aquatiques pensées, essaie d'en former un torrent, de peur qu'elles ne se
corrompent, et veuille échauffer ses froides rencontres
avec le feu des éclairs et des tonnerres. Encore s'il gla-
nait sur les bons auteurs, je lui pardonnerais, mais il
n'exprime que les sentiments des sots. Toutefois quand
j'y songe, je ne m'en étonne plus; c'est l'ordinaire de
La Chapelle de ne tirer l'esprit que des simples, et pour
vous montrer qu'il affecte de dérober les gueux et de
les dépouiller des pieds jusqu'à la tête, c'est que je
vous ferai voir dans toutes ses lettres le commencement
et la fin des miennes. Monsieur, votre serviteur.

### CONTRE LE GRAS MONTFLEURY,
#### MAUVAIS AUTEUR ET COMÉDIEN

Gras Montfleury,

Enfin, je vous ai vu. Mes prunelles ont achevé sur vous de grands voyages; et le jour que vous éboulâtes corporellement jusqu'à moi, j'eus le temps de parcourir votre hémisphère, ou pour parler plus véritablement, d'en découvrir quelques cantons. Mais comme je ne suis pas tout seul les yeux de tout le monde, permettez que je donne votre portrait à la postérité, qui sera sans doute bien-aise de savoir un jour comment vous étiez fait. On saura donc, en premier lieu, que la Nature qui vous ficha une tête sur la poitrine ne voulut pas expressément y mettre de col, afin de le dérober aux malignités de votre horoscope; que votre âme est si grosse, qu'elle servirait bien de corps à une personne un peu déliée; que vous avez ce qu'aux hommes on appelle la face, si fort au-dessous des épaules, et ce qu'on appelle les épaules si fort au-dessus de la face, que vous semblez un saint Denys portant son chef entre ses mains. Encore je ne dis que la moitié de ce que je vois, car si je descends mes regards jusqu'à votre bedaine, je m'imagine voir aux Limbes tous les Fidèles dans le sein d'Abraham, Sainte Ursule qui porte les onze mille Vierges enveloppées dans son manteau, ou le cheval de Troie farci de quarante mille hommes. Mais je me trompe, vous paraissez quelque chose encore de plus gros et de plus vilain, ma raison trouve bien plus d'apparence à croire que vous êtes une apostume de la Nature qui rend la Terre jumelle. Hé! quoi, vous n'ouvrez jamais la bouche qu'on ne se souvienne de la fable de Phaëton où le Globe de la Terre parle; oui, le Globe de la Terre. Et si la Terre est un animal, vous voyant (comme assurent quelques Philosophes) aussi rond et aussi large qu'elle, je soutiens que vous êtes son mâle, et qu'elle a depuis peu accouché de l'Amérique, dont vous l'avez engrossée. Hé! bien, qu'en dites-vous, le portrait est-il ressemblant, pour n'y avoir donné qu'une touche? Par l'expression de votre rotondité vénérable, n'ai-je pas adroitement fait connaître que l'interposition d'un Globe si grand et si opaque doit faire éclipser les Soleils dont toutes vos Comédies sont éclairées. N'ai-je pas en arrondissant l'épaisseur de votre masse appris à nos neveux que vous

n'êtes point fourbe, puis que vous marchez rondement?
Pouvais-je mieux convaincre de mensonge ceux qui vous
menacent de pauvreté, qu'en leur faisant voir à l'œil
que vous roulerez toujours. Et enfin était-il possible
d'enseigner plus intelligiblement que vous êtes un
miracle, puisque l'embonpoint de votre chair inanimée
vous fait prendre par vos spectateurs pour une longe
de veau qui se promène sur ses lardons? Je me doute
bien que vous m'objecterez qu'une Boule, qu'un Globe,
ni qu'un morceau de chair ne font pas des ouvrages de
théâtre et que le grand Asdrubal est sorti de vos mains.
Mais entre vous et moi, vous en connaissez l'enclouure;
il n'y a personne en France qui ne sache que cette tragédie est la Corneille d'Esope, qu'elle a été construite
d'un impôt par vous établi sur tous les poètes de ce
temps, que vous l'avez sue par cœur auparavant que
de l'avoir imaginée qu'étant tirée de toutes les autres, on
la peut appeler la Pièce des pièces, et que vous seriez non
seulement un Globe, une Boule et un morceau de chair,
mais encore un miroir qui prend tout ce qu'on lui montre,
n'était que vous représentez trop mal. Confessez donc
la dette, je n'en parlerai point; au contraire, pour vous
excuser, je dirai à tout le monde que votre Reine de
Carthage doit être un corps composé de toutes les
natures, parce qu'étant d'Afrique, c'est de là que viennent
les Monstres. Et j'ajouterai même que cette pièce fut
trouvée si belle, qu'à mesure que vous la jouiez tout le
monde la jouait. Quelques ignorants peut-être conclu-
ront, à cause de la stérilité de pensées qu'on y trouve, que
vous ne pensiez à rien quand vous la fîtes; mais tous les
habiles savent qu'afin d'éviter l'obscurité, vous y avez
mis les bonnes choses fort claires, et quand même ils
auraient prouvé que depuis l'ortie jusqu'au sapin, c'est-à-
dire depuis Scarron jusqu'à Corneille, tous les Poètes
ont accouché de votre enfant, ils ne pourraient rien infé-
rer, sinon qu'une âme ordinaire n'étant pas assez
grande pour vivifier votre masse de bout en bout, vous
fûtes animé de celle du monde, et qu'aujourd'hui c'est
ce qui est cause que vous imaginez par le cerveau de
tous les hommes. Mais encore ces stupides sont bien
éloignés d'avouer que vous imaginez; ils soutiennent
même qu'il n'est pas possible que vous puissiez parler,
ou que, si vous parlez, c'est comme jadis l'Antre de
la Sibylle, qui parlait sans le savoir. Hier, pourtant je les
contraignis de confesser, malgré l'assoupissement de

votre âme qu'ils m'alléguèrent que vous êtes donc au
moins la Caverne des Sept Dormants, qui ronflent par
votre bouche. Mais, bons Dieux! qu'est-ce que je vois ?
Montfleury plus enflé qu'à l'ordinaire! Est-ce donc le
courroux qui vous sert de Seringue? Dejà vos jambes
et votre tête se sont [tellement] unies par leur extension
à la circonférence de votre Globe, [que] vous n'êtes
plus qu'un ballon; c'est pourquoi je vous prie de ne
pas approcher de mes pointes, de peur que je ne vous
crève. Vous vous figurez peut-être que je me moque;
par ma foi, vous avez deviné; aussi le miracle n'est pas
grand qu'une boule ait frappé au but. Je vous puis même
assurer que si les coups de bâton s'envoyaient par écrit,
vous liriez ma Lettre des épaules. Et ne vous étonnez
pas de mon procédé, car la vaste étendue de votre
rondeur me fait croire si fermement que vous êtes une
terre, que je veux planter du bois sur vous pour voir
comment il s'y porterait! Pensez-vous donc, à cause qu'un
homme ne vous saurait battre tout entier en vingt-
quatre heures, et qu'il ne saurait en un jour échigner
qu'une de vos omoplates, que je me veuille reposer de votre
mort sur le Bourreau ? Non, non, je serai moi-même
votre Parque, et je vous eusse dès l'autrefois écrasé sur
votre Théâtre, si je n'eusse appréhendé d'aller contre
vos règles, qui défendent d'ensanglanter la scène. Ajoutez à cela que je ne suis pas encore bien délivré d'un mal
de rate pour la guérison duquel les Médecins m'ont
ordonné encore quatre ou cinq prises de vos imperti-
nences; mais sitôt que j'aurai fait banqueroute aux
divertissements et que je serai saoul de rire, tenez par tout
assuré que je vous enverrai défendre de vous compter
entre les choses qui vivent. Adieu, c'est fait. J'eusse
bien fini ma Lettre à l'ordinaire, mais vous n'eussiez
pas cru pour cela que je fusse votre très humble, très
obéissant et très affectionné. C'est pourquoy, Montfleury,
Serviteur à la paillasse.


APOTHÉOSE D'UN ECCLÉSIASTIQUE BOUFFON

Messire Jean,
    Je m'étonne fort que sur la Chaire de vérité vous
dressiez un Théâtre de Charlatan, et que vous fassiez
réciter des fables de Peau d'Ane à Jésus-Christ, dont
vous jouez le personnage en ce monde. A voir les passe-

passe dont vous tabarinez cette Eglise, les épanouisse-
ments de rate qui vous font tressaillir, les contes gras que
vous dégobillez, nous sommes contraints — quelle abo-
mination — de nous ramentevoir les cérémonies qu'on
faisait à Priape, de qui le Prêtre était le Maquereau.
Vous devriez traiter notre Dieu avec plus de respect,
quand vous ne lui seriez obligé que des soupes renforcées
qu'il octroie à votre cuisine. Ha! Messire Jean, faites
au moins semblant de croire, pour nous en faire accroire!
Permettez que nous puissions nous enjôler et nous
crever les yeux pour ne pas voir que vous êtes un impie,
ou, puisque vous voulez ribon ribaine débiter notre foi
comme une farce, servez-vous, au lieu de cloches, de
tambourins de Biscaye, mettez gambader une guenon sur
vos épaules; puis, pour achever la momerie en toutes
ses mesures, passez la main dans votre chemise, vous
trouverez Godenot dans sa gibecière. On ne s'estoma-
quera point contre vous, puisqu'on ne se choque point
de voir des Bateleurs. Là, vous pourrez calculer les vertus de votre Mithridate, vous débiterez des chapelets
de baume, des savonnettes pour la gale, des pommades
odoriférantes, et même, si vous avez le talent de suspendre par un bon mot de gueule l'action visive des
nigauds sur leur pochette, comme deux jours avant qu'être
élevé au Ciel faisait encore le pauvre défunt, je vous
donne parole de la part des Narquois de deux habits
bien venants par année; vous pourrez aussi très prudem-
ment faire provision d'onguent pour la brûlure, car les
Sorciers de ce pays jurent avoir lu dans votre Cédule
que le terme expire à Noël. Cependant vous protestez
qu'il n'y eut jamais de véritables possessions. Si est-ce
qu'à voir les contorsions dont vous agitez les pendants
de votre gaine corporelle, personne ici ne doute que
vous n'ayez le Diable au corps; mais je vois bien ce que
c'est, vous tâchez de ne point croire ce que vous appré-
hendez, et voulez vous guérir du mal d'Enfer par une
forte imagination, mais, par ma foi, soyez damné! soyez
sauvé! Il ne m'importe : Tous coups vaillent, pourvu
que dans les couvents où vous batelez vous n'accrochiez
que des vieilles, parce que la venue de l'Antéchrist nous
fait peur. Vous riez, messire Jean, de m'entendre ainsi
raisonner, vous chez qui l'Apocalypse et la Mythologie
sont en même rang. L'Enfer est un petit conte pour
faire peur aux hommes, ainsi qu'on menace les enfants
du charbonnier. J'avoue que pour la manutention des

Etats, il y a beaucoup de choses vraies qu'il faut que le
Peuple ignore, beaucoup de fausses que nécessairement
il faut qu'il croie, mais notre religion n'est pas établie
sur cette maxime : une conjoncture encore quasi miraculeuse en vous, c'est que vous êtes ensemble impie et
superstitieux, composant des filets de votre vie une
toile d'athéisme et de sortilège, cela marque bien que
vous mourrez en dansant les sonnettes si l'Ellébore ou
Saint Mathurin ne vous guérissent. Mon Dieu, quel
plaisir me chatouille, quand je considère à pleins yeux
la symétrie de votre humaine remembrance : vos cheveux plus droits que votre conscience, un front coupé
de sillons (c'est-à-dire taillé sur le modèle des campagnes de Beauce), où le temps marque l'âge aussi
justement que les heures au cadran de la Samaritaine;
vos yeux, à l'ombre de vos sourcils touffus, qui ressemblent
à deux précipices au bord d'un bois, ou à deux pruneaux
noirs bouillant tout seuls dans deux marmites séparées.
Ils sont tellement enfoncés, qu'à vivre encore un mois,
vous nous regarderez par derrière. Quelques-uns pensent
à les voir habillés de rouge que ce sont deux comètes
où j'y trouve de l'apparence, puisque plus haut dans
vos sourcils il se trouve des Etoiles fixes, que les médi-
sants appellent morpions et puis votre visage est harnaché
d'un nez, dont l'infection punaise est cause que vous
avez toujours vécu en fort mauvaise odeur; vos joues
sont de maroquin de Levant, les plus déliés poils de vos
moustaches fournissent charitablement de barbe aux
goupillons de votre Eglise. Je passerais plus avant, mais
j'ai peur d'être englouti par cette exhalaison de bou-
quin que respire votre chemise, et je serais marri
que cet air empesté me suffoquât auparavant qu'on
pût savoir que celui qui composa cette Apothéose est
de B.

### CONTRE UN JÉS... ASSASSIN ET MÉDISANT

Père criminel,
Assurément vous me preniez pour un Roi quand vous
prêchiez vos Disciples de m'assassiner, mais ce n'est
pas de toute farine que se font les Chatels et les Ravail-
lacs; on a purgé vos Collèges de ce mauvais sang et le
souvenir de la Pyramide empêche que le massacre ne
passe de votre bouche dans les mains de ceux qui vous

écoutent. Vous ne laissez pas cependant, du faîte de
votre Tribune (pédagogue et bourreau de huit cents
écoliers) de leur prêcher ma mort comme une croisade,
mais des enfants sont trop tendres pour être exhortés
au poignard. Vous cajoleriez plus aisément la conscience
d'un brutal déjà fait au meurtre, comme celui qui ne
manqua mon sort que d'une journée. Il était homme
d'exécution celui-là, vous lui aviez très bien prouvé
qu'un assassinat était la seule voie de se réconcilier avec
Dieu; il vous avait très bien cru, et si une pistole dont
vous fûtes chiche au lieu des indulgences et des mé-
dailles dont vous le chargeâtes, eût secondé son courage,
l'embuscade prolongée de vingt-quatre heures rougissait
le pavé de mon sang, et puis vous êtes de la Compagnie
de Jésus! O! Dieu, Jésus avait-il en sa Compagnie des
personnes qui conseillassent l'homicide? Non, vous n'en
êtes point, ou bien vous êtes de celle qu'il eut en croix,
avec deux meurtriers. Si vous jugez ma mort une œuvre
méritoire, que n'y employez-vous votre main; si elle
ne l'est pas, pourquoi la conseillez-vous? Dieu souffrit
autrefois que les Juifs l'appelassent fourbe, séducteur,
magicien, et qu'ils ruinassent l'opinion de sa divinité
par un infâme supplice; et Me Nicolas B..., plus pas-
sionné que Jésus-Christ pour le salut des hommes, plus
entendu à l'établissement du Christianisme que Dieu,
veut me perdre! dût-il lui en coûter son âme. Je dis
son âme, car pour sa vie, il ne la voudrait pas jouer
contre la Monarchie du Monde. Il conseille et concerte
ma ruine, mais ce sont des morceaux qu'il taille pour
d'autres. Le poltron qu'il est serait bien aise de contempler sûrement de la rive un naufragé en haute mer, cependant, je suis dévoué au pistolet par un Moine, un Moine
qui devrait (si l'idée d'un pistolet avait pris place en
son imagination) se faire exorciser. Barbare maître
d'école, quel sujet avez-vous de me tant vouloir de mal?
Vous feuilletez possible tous les crimes dont vous êtes
capable et sur cela vous concluez que je suis Athée; mais
Père écervelé, me croyez-vous si stupide de me figurer
que le Monde soit né comme un champignon, que les
Astres aient pris feu et se soient arrangés par hazard,
qu'une matière morte, de telle ou telle façon disposée,
ait pu faire raisonner un homme, sentir une bête, végéter un arbre; pensez-vous que je ne reconnaisse pas la
Providence de Dieu, quand je vous regarde sous un chapeau dont le sacré circuit vous met à couvert de la

foudre, quand je vous regarde dans une Compagnie
dont la sainte réputation purge la vôtre, enfin, quand je
vous regarde si faible et si méchant. Non, non, le véritable sujet de la haine que vous me portez, c'est l'envie,
et la ridicule imagination que vous avez eue de vous
rendre recommandable en me choquant. Comme ce fut
la même quinte qui conduisit à l'hôpital l'esprit et le
corps du Père Garasse, pardonnez-moi donc, je vous
supplie, car je ne savais pas que de venir au monde
avec de l'esprit était vous offenser, ni, comme vous
savez, je n'étais point au ventre de la jument qui vous
conçut pour disposer à l'humanité les organes et la
complexion qui concouraient à vous faire cheval. J'ai
tort, à la vérité, de donner à votre naissance une cause
si basse; je crois que votre origine est à tous très remar-
quable, vous autres dont les gestes ont pour monuments
les monuments de nos Rois : ce n'est pas que j'impute
au dérèglement de tout un corps la corruption d'un
membre, car on sait bien que si de ce corps vous compo-
sez quelque chose, vous en êtes les parties honteuses,
que votre âme est noire à cause qu'elle porte le deuil
du trépas de votre conscience, et que, votre habit
garde la même couleur pour servir de petite oie à
votre âme. O! Dieux, faut-il qu'un chétif hypocondre
comme vous soit la condamnation de toute la Société,
que vous fassiez éclipser mille Soleils en votre Compagnie par la seule interposition de votre épaisse révérence, et que saint Ignace, depuis un siècle qu'il est au
Ciel, boite encore en vous tous les jours. Cependant
vous vous imaginez être habile et savant par dessus
tous ceux de votre Ordre. Hélas! mon grand Ami, si
vous êtes le plus grand homme des Jésuites, vous ne
devez cette grandeur qu'à celle de vos membres, et
vous êtes le plus grand personnage de votre couvent
comme Saint Christophe est le plus grand Saint de
Notre-Dame. A la vérité, vous êtes plus grand qu'eux
en fourbes, en lâchetés, en trahisons, et par vous Dieu
s'est trouvé, depuis Judas, plus d'une fois entre les mains
d'un traître, mais je ne crains point vos conspirations,
tandis que nous aurons une Régente sous qui les Régents
comme vous sont grimauds. Ce n'est pas que vous ne
méritiez (quand la Fortune et la Justice seront bien
ensemble) que de trois ou quatre mille ânes qui
établent à votre Collège, on vous déclare le principal.
Oui, certes, vous le méritez, car je ne sache personne à

qui le fouet appartienne justement comme à vous; vous
le savez manier de si bonne grâce que vous achetez
l'affection des Pères par le supplice de leurs enfants :
vous pendez les cœurs à vos verges et vous vous intro-
duisez dans leur esprit par la porte de derrière; ce n'est
pas que je n'en sache tel qui voudrait pour dix pistoles
vous avoir écorché; mais si vous me croyez, vous le
prendrez au mot pour l'attraper, car dix pistoles sont
plus que ne saurait valoir la peau d'une bête à corne.
Je ne suis pas votre serviteur.


DESCRIPTION DE L'AQUEDUC OU LA FONTAINE D'ARCUEIL,
A MES AMIS LES BUVEURS D'EAU

Messieurs,
Miracle, miracle! Je suis au fond de l'eau et je n'ai
pas de quoi boire; j'ai un fleuve entier sur la tête, et je
n'ai point perdu pied; enfin je me trouve en un pays
où les fontaines volent, et où les rivières sont si délicates
qu'elles passent par-dessus des ponts de peur de se
mouiller. Ce n'est point hyperbole, car à considérer les
grands portiques sur lesquels celle-ci va comme en
triomphe, il semble qu'elle se soit montée sur des
échasses pour voir de plus loin, et pour remarquer dans
Paris les lieux où elle est nécessaire; ce sont comme
des arcs avec lesquels elle décoche un million de flèches
d'argent liquide contre la soif. Tout à l'heure elle était
assise à cul nu contre terre; mais la voilà maintenant
qui se promène dans des galeries; elle porte sa tête à
l'égal des montagnes; et croyez toutefois qu'elle n'est
pas de moins belle taille, pour être voûtée. Je ne sais
pas si nos bourgeois prennent cette arche pour l'arche
d'alliance, je sais seulement que, sans elle, ils seraient
du vieux Testament; elle enrichit en leur faveur au-dessus des forces de la Nature, elle fait pour eux l'impossible, jusqu'à courir deux lieues durant avec des jambes
mortes qu'elle ne peut remuer. On dirait à la voir jaillir
en haut comme elle fait, qu'après avoir longtemps
poussé contre le globe de la Terre qui pesait sur elle,
s'en trouvant tout à coup déchargée, elle ne se puisse
plus retenir, et continue en l'air malgré soi la secousse
qu'elle s'était donnée. Mais d'où vient qu'à Rungis,
pour un peu de sable qu'elle a dans les reins, elle n'urine
que goutte à goutte; et que dans Arcueil où elle est

atteinte de la pierre, elle pisse par-dessus des montagnes ? Encore ce ne sont là que de ses coups d'essai, elle fait bien d'autres miracles, elle se glisse éternellement hors de sa peau, et n'achève jamais d'en sortir ; qu'elle fait plus que le Roi quand il guérit à Paris des maladies en le touchant, car elle guérit tous les jours d'un seul regard plus de quatre cent mille altérés ; elle se morfond à force de courir ; elle s'enterre toute vive dans un tombeau pour vivre plus longtemps. N'est-ce point que sa beauté l'oblige à se cacher du Soleil de peur d'être enlevée ? ou que pour s'être entendu cajoler au village, elle devienne si glorieuse qu'elle ne veuille plus marcher si on ne la porte ? Je sais bien que dans ce long bocal de pierre (où ne saurait même entrer un filet de lumière) on ne peut pas dire qu'elle soit éventée ; et je sais bien pourtant qu'elle n'est pas sage de passer par-dessus des portes ouvertes. Cependant peut-être que je la blâme à tort, car je parle de ce môle d'architecture, sans savoir encore au vrai ce que c'est ; c'est possible une nue pétrifiée ; un grand os dont la moelle chemine ; un Arc-en-Ciel solide qui puise de l'eau dans Arcueil pour la verser à Paris ; un pâté de poisson qui a trop de sauce ; une naïade au lit qui a le cours de ventre ; un apothicaire de l'Université qui lui donne des clystères ; enfin la mère nourrice de toute une ville dont les robinets sont les mamelles qu'elle lui présente à téter. Puis donc qu'une si longue prison la rend méconnaissable, allons un peu plus loin la voir au sortir du ventre de sa mère. O Dieux ! qu'elle est gentille, qu'elle a l'air frais et la face unie ! Je l'entends qui gazouille avec le gravier, et qui semble par ses bégaiements vouloir étudier la langue du pays. Considérez-la de près, ne la voyez-vous pas qui se couche tout de son long dans cette coupe de marbre ? Elle repose, et ne laisse pas de s'enfler sous l'égout de sa source, comme si elle tâchait de sucer en dormant le téton de sa nourrice ; au reste, vous ne trouveriez pas auprès d'elle le moindre poisson, car la pauvre petite est encore trop jeune pour avoir des enfants. Ce n'est pas toutefois manque de connaissance, elle a reçu avec le jour une lumière naturelle et du bien et du mal, et pour vous le montrer, c'est qu'on ne l'approche jamais qu'elle ne fasse voir à l'œil la laideur ou la beauté de celui qui la consulte. A son âge pourtant, à cause que ses traits sont encore informes, on a de la peine à discerner si ce n'est point un jour de quatre pieds en carré, ou bien un œil de la terre qui pleure : mais non, je me trompe, elle est trop vive pour ressembler à quelqu'une de ces choses mortes ; c'est sans doute la reine des fontaines de ce pays, et son humeur royale se remarque en ce que par une libéralité tout extraordinaire, elle ne reçoit visite de personne qu'elle ne lui donne aussitôt son portrait ; mais aussi en récompense, elle a reçu du Ciel le don de faire des miracles : ce n'est point une chose que j'avance pour aider à son panégyrique, approchez-vous du bord, et vous verrez qu'à l'exemple de cette fontaine sacrée qui défiait ceux qui se baignaient, elle fait corps sans matière, les plonge dans l'eau sans les mouiller, et nous montre chez soi des hommes qui vivent sans aucun usage de respiration. Encore ne sont-ce là que des coups qu'elle fait en dormant ; à peine a-t-elle reposé autant de temps qu'il en faut pour mesurer quatre enjambées, qu'elle part de son hôtellerie, et ne s'arrête point qu'elle n'ait reçu de Paris un favorable regard. Sa première visite c'est à Luxembourg, où, sitôt qu'elle est arrivée, elle se jette en terre et va tomber aux pieds de son Altesse Royale, à qui, par son murmure, elle semble demander en langage de ruisseau les maisons où il lui plaît qu'elle s'aille loger. Elle est venue avec tant de hâte qu'elle en est encore toute en eau, et pour n'avoir pas eu le loisir sur les chemins de mettre pied à terre, elle est contrainte jusque dans le Palais d'Orléans d'aller au bassin en présence de tout le monde. Cependant elle a beau gronder à nos robinets et verser des torrents de larmes pour nous exciter à compassion de sa peine, l'ingratitude est si prodigieuse, que les altérés lui font la moue ; quantité de coquins lui donnent les seaux, et tout le monde est ravi de la voir pisser sous elle ; l'un dit qu'elle est bien mal apprise de venir avec tant de hâte se loger parmi les bourgeois pour leur pisser dans la bouche ; l'autre, que c'est en vain qu'elle marche avec tant de pompe pour ne faire à Paris que de l'eau toute claire ; ceux-ci, que son impudence est bien grande d'allonger le col de si loin à dessein de nous cracher au nez ; ceux-là, qu'elle est bien malade de ne pouvoir tenir son eau ; enfin il n'est pas jusqu'à ceux qui font semblant de la baiser qui ne lui montrent les dents. Pour moi, je m'en lave les mains, car j'ai devant les yeux trop d'exemples de la punition des ivrognes qui la méprisent. La Nature même, qui est la mère de cette claire fille, a, ce semble, eu si peur que quelque chose ne manquât aux pompes de sa réception, qu'à tous les hommes elle a donné à chacun un palais pour la recevoir; aussi je n'ai garde de croire que, par un sacrilège horrible, elle soit venue dans l'Université donner le flux de bouche à Saint-Michel, à Saint-Côme, à Saint-Benoît, et à Saint-Séverin; au contraire, je crois avec certitude que se sentant à l'extrémité si proche de sa fin, elle vient elle-même aux Eglises demander ses sacrements. Voilà tout ce que je puis dire à la louange de ce bel Aqueduc et de son hôtesse ma bonne amie. Çà donc, qui veut de l'eau ? En voulez-vous, Messieurs ? Je vous la garantis de fontaine sur la vie; et puis vous savez que je suis votre Serviteur.

### SATIRE CONTRE SOUCIDAS [DASSOUCY]

Monsieur le Viédaze,

Hé! par la mort, je trouve que vous êtes bien impudent de demeurer en vie, après m'avoir offensé! Vous qui ne tenez lieu de rien au monde ou qui n'êtes, au plus, qu'une gale aux fesses de la Nature; vous qui tomberez si bas, si je cesse de vous soutenir, qu'une puce en léchant la terre ne vous distinguera pas du pavé; vous enfin, si sale et si bougre qu'on doute (en vous voyant) si votre mère n'a point accouché de vous par le cul; encore si vous m'eussiez envoyé demander permission de vivre, je vous eusse permis peut-être de pleurer en mourant. Mais sans vous enquêter si je trouve bon que voyez encore demain, ou que vous mouriez dès aujourd'hui, vous avez l'impudence de boire et de manger comme si vous n'étiez pas mort. Ha ! je vous proteste de renverser sur vous un si long anéantissement, que vous n'aurez pas même jamais vécu. Vous espérez sans doute m'attendrir par la dédicace de quelque nouveau Burlesque. Point, point, je suis inexorable, je veux que vous mouriez tout présentement, puis selon que mon tempérament me rendra miséricordieux, je vous ressusciterai pour lire ma Lettre. J'avais néanmoins quasi résolu d'attendre l'offrande de vos plaisants vers, sachant par vous que tout ce qui était sot ne faisait pas rire. Toutefois j'ai songé depuis que pour faire quelque chose de bien ridicule, vous n'aviez qu'à parler sérieusement, c'est pourquoi je n'ai pas voulu risquer le choc. Avez-vous, en effet, jamais rien achevé de tolé-

rable que votre poème burlesque ? Cependant, ni les
vers ni la conduite ne vous ont guère fait brûler de
chandelle, et selon ma pensée, vous deviez l'intituler
« Le Jugement de Pâris et de Blandin », car si vous l'avez
transcrit, vous savez bien qui l'a composé. J'entendais
l'autre jour le libraire se plaindre de ce qu'il n'avait
pas de débit, mais il se consola quand je lui répondis
que Soucidas était un juge incorruptible, de qui on
ne saurait acheter le jugement; ce n'est point de lui
seul que j'ai appris que vous rimassiez. Je m'en doutais
déjà bien, parce que c'eût été un grand miracle si les
vers ne s'étaient pas mis dans un homme si corrompu.
Votre haleine seule suffit à faire croire que vous êtes
d'intelligence avec la Mort pour ne respirer que la
peste, et les muscadins ne sauraient empêcher que vous
ne soyez par tout le monde en fort mauvaise odeur. Je
ne m'irrite point contre cette putréfaction, c'est un
crime de vos pères [ladres] mêlé au sang de qui vous
trempez innocemment. Votre chair même n'est autre
chose que de la terre crevassée par le Soleil, et tellement
fumée que, si tout ce qu'on y a semé avait pris racine,
vous auriez maintenant sur les épaules un grand bois
de haute futaie. Après cela, je ne m'étonne plus de
ce que vous prônez qu'on ne vous a point encore connu.
Il s'en faut, en effet, plus de quatre pieds de crotte qu'on
ne vous puisse voir. Vous êtes enseveli sous le fumier
avec tant de grâce que, s'il ne vous manquait un pot
cassé pour vous gratter, vous seriez un Job accompli.
Ma foi, vous donnez un beau démenti à ces Philosophes
qui se moquent de la Création. S'il s'en trouve encore,
je souhaite qu'ils vous voient, car je m'assure que le
plus aheurté d'entre eux vous ayant contemplé ne dou-
tera point que l'Homme puisse avoir été fait de boue.
Ils vous prêcheront et se serviront de vous-même pour
vous retirer de ce malheureux Athéisme où vous crou-
pissez. Vous savez que je ne parle point par cœur :
combien de fois vous a-t-on entendu prier Dieu qu'il
vous fît la grâce de ne point croire en lui! Il n'oserait
avoir laissé fermer une porte quand vous fuyez le bâton,
qu'il ne soit par vous anéanti, et vous ne le reproduisez
que pour avoir contre qui jurer si le dé rafle votre
magot. J'avoue que votre sort n'est pas de ceux qui
savent patiemment porter les pertes, car vous n'avez
presque rien et à peine le chaos entier suffirait-il à vous
rassasier : c'est ce qui vous a obligé d'affronter tant de

monde. Il n'y a plus [de] moyen que vous trouviez pour
marcher en cette Ville une rue non créancière, à moins
que le Roi fasse bâtir un Paris en l'air. L'autre jour, au
Conseil de guerre, on donna avis à Monsieur le Prince
de vous mettre dans un mortier pour vous faire sauter
comme une bombe dans les villes de Flandres, parce
qu'en moins de trois jours la faim contraindrait les
habitants de se rendre. Je pense pour moi que ce strata-
gème-là eût réussi, puisque votre nez, qui n'a pas
l'usage de raison, ce pauvre nez, le reposoir et le paradis
des Chiquenaudes, semble ne s'être retroussé que pour
s'éloigner de votre bouche affamée. Vos dents ? mais
bons Dieux ! où m'embarrassais-je, elles sont plus à
craindre que vos bras. Je leur crie merci, aussi bien
quelqu'un me reprochera que c'est trop berner un
homme qui m'aime comme son âme. Donc, ô brave
Soucidas [ô Marionnette incarnée], cela serait-il possible ; ma foi, je pense que si je suis votre cœur, c'est
à cause que vous n'en avez point ; de même que Chapelle est votre mémoire, Blandin votre imagination,
et Tristan (L'Hermite) votre jugement. Mais je ne
blâme point cette industrie, car puisque la Nature et
la Fortune ne vous ont filé qu'une trame de gueux, il
était bien raisonnable que chacun se cotisât pour subvenir à votre nécessité. Vous vous plaindrez, possible,
que je vous traite à la rigueur de vous faire perdre l'esprit. Hélas ! bon Dieu, comment vous octroyer ce que
vous n'eûtes jamais ? Demandez pour voir ce que vous
êtes à tout le monde, et vous verrez si tout le monde
ne dit pas que vous n'avez rien d'homme que la ressemblance de Singe. Ce n'est pas pourtant (quoi que je
vous compare à un Singe) que je pense que vous rai-
sonnez. Quand je vous contemple si décharné, je m'imagine que vos nerfs sont assez secs et assez préparés pour
exciter, en vous remuant, ce bruit que vous appelez
langage ; c'est infailliblement ce qui est cause que vous
jasez et frétillez sans intervalle. Mais puisque parler y a,
apprenez-moi donc, de grâce, si vous parlez à force de
remuer, ou si vous remuez à force de parler ? Ce qui
fait soupçonner que tout le tintamarre que vous faites
ne vient pas de votre langue, c'est qu'une langue seule
ne saurait dire le quart de ce que vous dites, et que la
plupart de vos discours sont tellement éloignés de la
raison, qu'on voit bien que vous parlez par un endroit
qui n'est pas fort près du cerveau. Enfin, mon petit

Monsieur, il est si vrai que vous êtes tout langue, que s'il n'y avait point d'impiété d'adapter les choses saintes aux profanes, je croirais que saint Jean prophétisait de vous, quand il écrivit que la parole s'était faite chair. Et en effet, s'il me fallait écrire autant que vous parlez, j'aurais besoin de devenir plume; mais puisque cela ne se peut, vous me permettrez de vous dire adieu. Adieu donc, mon camarade, sans compliment; aussi bien seriez-vous trop mal obéi si vous aviez pour votre serviteur

DE BERGERAC.

## DESCRIPTION D'UNE TEMPÊTE

Monsieur,

Quoique je sois ici couché fort mollement, je n'y suis pas fort à mon aise; plus on me berce moins je dors. Tout autour de nous les côtes gémissent du choc de la tourmente : la mer blanchit de courroux; le vent siffle contre nos câbles; l'eau seringue du sel sur notre tillac, et cependant l'ancre et les voiles sont levées. Déjà les Litanies des passagers se mêlent aux blasphèmes des matelots; nos vœux sont entrecoupés de hoquets, ambassadeurs très certains d'un dégobilis très pénible. Bon Dieu! nous sommes attaqués de toute la Nature : il n'est pas jusqu'à notre cœur qui ne se soulève contre nous : la mer vomit sur nous et nous vomissons sur elle. Une seule vague quelquefois nous enveloppe si généralement que qui nous contemplerait du rivage prendrait notre Vaisseau pour une maison de verre où nous sommes enchâssés; l'eau semble exprès se bossuer pour nous faire un tableau du cimetière; et quand je prête un peu d'attention, je m'imagine discerner (comme s'il partait de dessous l'Océan) parmi les effroyables mugissements de l'onde, quelques versets de l'Office des Morts. Encore l'eau n'est pas notre seule partie : le Ciel a si peur que nous échappions qu'il assemble contre nous un bataillon de météores; il ne laisse pas un atome de l'air qui ne soit occupé d'un boulet de grêle; les comètes servent de torches à célébrer nos funérailles; tout l'horizon n'est plus qu'un grand morceau de fer rouge; les tonnerres tenaillent l'ouïe par l'aigre imagination d'une pièce de camelot qu'on déchire; et l'on dirait à voir la nue, sanglante et grosse comme elle est, qu'elle va ébouler sur

nous, non la foudre, mais le mont Etna tout entier.
O Dieu! sommes-nous tant de choses, pour avoir excité
de la jalousie entre les éléments, à qui nous perdra le
premier. C'est donc à dessein que l'eau va, jusqu'aux
mains de Jupiter, éteindre la flamme des éclairs, pour
arracher au feu l'honneur de nous avoir brûlés; et puis,
nous faisant engloutir aux abîmes qu'elle creuse dans
son sein, comme elle voit notre vaisseau tout proche de
se casser contre la terre, elle se jette vivement dessous et
nous relève de peur que cet autre élément ne participe
à la gloire qu'elle prétend toute seule; ainsi nous avons
le crève-cœur de voir disputer à nos ennemis l'honneur
d'une défaite où nos vies seront les dépouilles; elle prend
bien quelquefois la hardiesse, l'insolente, de souiller
avec son écume l'azur du Firmament, et de nous porter
si haut entre les Astres que Jason peut penser que c'est
le Navire *Argo* qui commence un second voyage : puis,
dardés que nous sommes jusqu'au sablon de son lit,
nous rejaillissons à la lumière d'un tour de main si
prompt, qu'il n'y en a pas un de nous qui ne croie
quand notre nef est remontée, qu'elle a passé à travers
la terre sur la mer de l'autre côté. Hélas! où sommes-
nous ? L'impudence de l'orage ne pardonne pas même au
nid des alcyons : les baleines sont étouffées dans leur
propre élément; la mer essaye à nous faire un couvre-
chef de notre chaloupe. Il n'y a que le Soleil qui ne se
mêle point de cet assassinat; la Nature l'a bandé d'un
torchon de grosses nuées, de peur qu'il ne le vît; ou bien
c'est que ne voulant pas participer à cette lâcheté, et ne
la pouvant empêcher, il est au bord de ces rivières
volantes, qui s'en lave les mains. O! vous toutefois à
qui j'écris, sachez qu'en me noyant je bois ma faute;
car je serais encore à Paris plein de santé, si, quand
vous me commandâtes de suivre toujours le plancher
des vaches, j'eusse été, Monsieur, votre obéissant
Serviteur.

## DES MIRACLES DE RIVIÈRE

Monsieur,
    Le ventre couché sur le gazon d'une rivière, et le dos
étendu sous les branches d'un saule qui se mire dedans,
je vais renouveler aux arbres l'histoire de Narcisse;
cent peupliers précipitent dans l'onde cent autres peu-

pliers : et ces aquatiques ont été tellement épouvantés de leur chute, qu'ils tremblent encore tous les jours, du vent qui ne les touche pas. Je m'imagine que la nuit ayant noirci toutes les choses, le soleil les plonge dans l'eau pour les laver ; mais que dire de ce miroir fluide, de ce petit monde renversé, qui place les chênes au-dessous de la mousse, et le Ciel plus bas que les chênes ? Ne sont-ce point de ces vierges de jadis métamorphosées en arbres, qui désespérées de sentir encore violer leur pudeur par les baisers d'Apollon, se précipitent dans ce fleuve la tête en bas ? Ou n'est-ce point qu'Apollon lui-même, offensé qu'elles aient osé protéger contre lui la fraîcheur, les ait ainsi pendues par les pieds ? Aujourd'hui le poisson se promène dans les bois, et des forêts entières sont au milieu des eaux sans se mouiller ; un vieil orme, entre autres, vous ferait rire, qui s'est quasi couché jusque dessus l'autre bord, afin que son image prenant la même posture, il fît de son corps et de son portrait un hameçon pour la pêche. L'onde n'est pas ingrate de la visite que ces saules lui rendent ; elle a percé l'Univers à jour, de peur que la vase de son lit ne souillât leurs rameaux, et non contente d'avoir formé du cristal avec de la bourbe, elle a voûté des Cieux et des Astres par dessous, afin qu'on ne pût dire que ceux qui l'étaient venus voir eussent perdu le jour qu'ils avaient quitté pour elle. Maintenant nous pouvons baisser les yeux au Ciel, et par elle le jour se peut vanter que tout faible qu'il est à quatre heures du matin, il a pourtant la force de précipiter le Ciel dans des abîmes. Mais admirez l'empire que la basse région de l'âme exerce sur la haute ; après avoir découvert, que tout ce miracle n'est qu'une imposture des sens, je ne puis encore empêcher ma vue de prendre au moins ce Firmament imaginaire pour un grand lac sur qui la terre flotte. Le rossignol qui du haut d'une branche se regarde dedans, croit être tombé dans la rivière : il est au sommet d'un chêne, et si il a peur de se noyer ; mais lorsqu'après s'être affermi de l'œil et des pieds, il a dissipé sa frayeur, son portrait ne lui paraissant plus qu'un rival à combattre, il gazouille, il éclate, il s'égosille comme lui, mais si vraisemblablement qu'on se figure presque qu'il chante, et ne dit mot tout ensemble, pour répondre en même temps à son ennemi, et pour n'enfreindre pas les lois du pays qu'il habite, dont le peuple est muet ; la perche, la dorade, et la truite qui le voient, ne savent si c'est un poisson vêtu de plumes, ou si c'est un

oiseau dépouillé de son corps; elles s'amassent autour de
lui, le considèrent comme un monstre; et le brochet (ce
tyran des rivières), jaloux de rencontrer un étranger sur
son trône, le cherche en le trouvant, le touche et ne le
peut sentir, court après lui au milieu de lui-même, et
s'étonne de l'avoir tant de fois traversé sans le blesser.
Moi-même j'en demeure tellement consterné que je suis
contraint de quitter ce tableau. Je vous prie de suspendre
sa condamnation, puisqu'il est malaisé de juger d'une
ombre; car quand mes enthousiasmes auraient la réputation d'être fort éclairés, il n'est pas impossible que la
lumière de celui-ci soit petite, ayant été prise à l'ombre;
et puis, quelle autre chose pourrais-je ajouter à la description de cette image enluminée, sinon que c'est un
rien visible, un caméléon spirituel, une nuit que la nuit
fait mourir, un procès des yeux et de la raison, une privation de clarté, que la clarté met au jour : enfin que c'est
un esclave qui ne manque non plus à la matière qu'à la
fin de mes lettres, votre Serviteur,

De B.


## LE POLTRON

Monsieur,
Je sais que vous êtes trop sage pour conseiller jamais
un duel; c'est pourquoi je vous demande votre avis sur
celui que j'ai résolu de faire; car enfin, l'honneur sali ne
se lave qu'avec du sang. Hier je fus appelé sot (il est vrai
que c'était en une compagnie fort honorable) et l'on s'éman-
cipa jusqu'à me donner un soufflet en ma présence.
Certains stupides (en matière de démêlés) disent qu'il
faut que je périsse, ou que je me venge. Vous, Monsieur,
vous qui m'êtes trop bon ami pour me conseiller un duel,
ne suis-je pas assez maltraité de la langue et de la main
de ce poltron, sans irriter encore son épée ? Car quoique
je sois marri d'être appelé sot, je serais bien plus fâché
qu'on me reprochât d'être défunt. Si j'étais enfermé
dans un sépulcre, il pourrait à son aise mal parler de
moi. Ne ferais-je pas mieux de demeurer au monde,
afin d'être toujours tout prêt à le châtier, lorsqu'il m'en
donnera sujet. Infailliblement ceux qui me conseillent
la tragédie ne voient pas que si j'en suis la catastrophe,
il se moquera de moi. Si je le tire on croira que je l'ai
chassé du monde, parce que je n'osais y demeurer tant

qu'il y serait; si je lui ôte la rapière, on dira que j'appréhendais qu'il demeurât armé; si nous restons égaux, à quoi bon
se battre pour ne rien faire ? Et puis quand j'aurais lettre
des Parques de sortir de ce combat à mon honneur, qui
l'empêchera après cela de se vanter qu'il a tenu ma
destinée à la longueur de son fer : non, non, je ne dégaine
point. C'est craindre son ennemi, de vouloir par la
mort, ou s'éloigner de lui, ou s'éloigner de soi; pour moi,
je n'appréhende pas qu'il soit où je serai. Il se vante de
n'avoir jamais redouté la mort. S'il veut que je le croie,
qu'il se tue! J'irai consulter tous les sages, durant soixante
ou quatre-vingts ans, pour savoir s'il a bien fait, et si
l'on me répond que oui, alors je tâcherai d'en vivre encore
autant pour faire pénitence de ma poltronnerie. A parler
franc, la vie est une fort bonne chose; c'est pourquoi,
j'aime mieux me tenir à ma carte, que de mettre au hasard
d'en avoir une pire. Ce Monsieur le Matamore veut possible mourir bientôt, afin d'en être quitte de bonne heure,
mais moi qui suis plus généreux, je veux vivre longtemps,
afin d'avoir longtemps à pouvoir mourir. Pense-t-il se
rendre fort recommandable, pour témoigner qu'il s'en-
nuie, de ne pas retourner à la nuit, sa première maison ?
Est-ce qu'il a peur du soleil ? Hélas, le pauvre buffle, s'il
savait quelle vilaine chose c'est que d'être trépassé, rien
ne le presserait. Un homme ne fait rien d'illustre, qui
devant trente ans met sa vie en danger, parce qu'il expose
ce qu'il ne connaît pas; mais quand il la hasarde depuis
cet âge-là, je soutiens qu'il est enragé de la risquer,
l'ayant connue. Quant à moi, je trouve le jour très beau,
et je n'aime point à dormir sous terre, à cause qu'on n'y
voit goutte. Cependant, qu'il ne s'enfle point de ce
refus, car je veux bien qu'il sache que je sais une botte
à tuer le Diable; mais comme je ne sais que celle-là, je
ne veux point me battre, de peur qu'on ne l'apprenne.
Moi, j'irais sur le pré, et là (fauché parmi l'herbe), m'em-
barquer possible pour l'autre monde. Hélas! mes créan-
ciers n'attendent que cela pour dire que je m'en suis
enfui de peur de les payer; et penserait-il même m'avoir
mis à jubé, quand il m'aurait ôté la vie? Au contraire,
j'en deviendrais plus terrible, et je suis assuré qu'il ne
me pourrait regarder quinze jours après, sans que je lui
fisse peur. Toutefois, si c'est qu'il aspire à la gloire de
m'avoir égorgé, pourvu que je me porte bien, je lui per-
mets de se vanter d'être mon bourreau. Je me vanterai
d'être son père; aussi bien, quand il m'aurait tué, la

gloire ne serait pas grande, une poignée de ciguë en
ferait bien autant. Il va s'imaginer peut-être que la
Nature m'a fort maltraité en me refusant du courage;
mais qu'il apprenne que la Nature ne saurait nous jouer
un plus vilain trait, que de se servir contre nous de celui
du Sort; que la moindre puce en vie vaut mieux que le
plus grand monarque décédé; et qu'enfin je me sens
indigne d'obliger des torches bénites à pleurer sur mes
armoiries. Je suis fort aise véritablement qu'on m'attribue toutes les qualités d'un grand esprit. Il n'y a que
celle d'heureuse mémoire que je ne puis souffrir, et pour
cause. Une autre raison me défend encore les batailles :
c'est que j'ai composé mon épitaphe, dont la pointe est
fort bonne, pourvu que je vive cent ans; et je la ruinerais
tout à fait, si je me hasardais de mourir à vingt-deux.
Ajoutez à cela que j'abhorre sur toutes choses les maladies, et qu'il n'y a rien de plus nuisible à la santé que la
mort. Ne vaut-il donc pas bien mieux s'encourager à
devenir poltron, que se rendre la cause de tant de
désastres? Ainsi (forts de notre faiblesse) on ne nous
verra jamais, ni pâlir ni trembler, que d'appréhension
d'avoir trop de cœur. Et toi, ô salutaire poltronnerie!
je te voue un autel, et je promets de te servir avec tant
de circonspection, que pour commencer dès aujourd'hui,
je dédie cette lettre au lâche le plus confirmé de tes
enfants, de peur que quelque brave, à qui je l'eusse
envoyée, ne se fût imaginé que j'étais homme à le servir en duel, pour quatre méchants mots que j'eusse été
obligé de mettre à la fin : votre Serviteur.

## LE DUELLISTE

Monsieur,

Quoi que je me porte en homme qui crève de santé, je
ne laisse pas d'être malade depuis trois semaines que ma
philosophie est tombée à la merci des Gladiateurs. Je
suis incessamment travaillé de la tierce et de la carte;
j'aurais perdu la connaissance du papier si les cartels
s'escrivaient sur autre chose; je ne discerne déjà plus
l'encre d'avec le noir à noircir; et enfin, pour vous faire
réponse, j'ai presque été forcé de vous écrire avec
mon épée, tant il est glorieux d'écrire mal parmi les
personnes dont les plumes ne se taillent point. Il faudrait, je pense, que Dieu accomplît quelque chose d'aussi

miraculeux que le souhait de Caligula, s'il voulait finir
mes querelles. Encore quand tout le genre humain serait
érigé en une tête; quand de tous les vivants il n'en resterait qu'un, ce serait encore un duel qui me resterait à
faire. Vraiment, vous auriez grand tort de m'appeler
maintenant le premier des hommes, car je vous proteste
qu'il y a plus d'un mois que je suis le second de tout le
monde. Il faut bien que, votre départ ayant déserté
Paris, l'herbe ait crû par toutes les rues, puisqu'en quelque
lieu que j'aille, je me trouve toujours sur le pré. Cependant, ce n'est pas sans risque. Mon portrait que vous
fîtes faire a été trouvé si beau qu'il a pris possible envie
à la Mort d'en avoir l'original; elle me fait à ce dessein
mille querelles d'Allemand. Je m'imagine quasi quelquefois être devenu porc-épic, voyant que personne ne
m'approche sans se piquer; et l'on n'ignore plus, quand
quelqu'un dit à son ennemi « qu'il s'aille faire piquer »,
que ce ne soit de la besogne qu'on me taille. Ne voyez-
vous pas aussi qu'il y a maintenant plus d'ombre sur
notre Zénith qu'à votre départ, c'est à cause que depuis
ce temps-là ma main en a tellement peuplé l'Enfer qu'elles
regorgent sur la Terre. A la vérité, ce m'est une consolation bien grande d'être haï parce que je suis aimé; de
trouver partout des ennemis parce que j'ai des amis partout, et de voir que mon malheur vient de ma bonne fortune; mais j'ai peur que cette démangeaison de gloire
ne m'invite à porter mon nom jusqu'en Paradis. C'est
pourquoi, pour éviter de si *périlleux enthousiasmes*, je
vous prie de venir promptement remettre mon âme en
son assiette de philosophe, car il me fâcherait fort qu'à
votre retour, au lieu de me trouver dans mon cabinet,
vous trouvassiez dans une église : Ci-gît, Cyrano de Bergerac.

AU RÉGENT DE LA RHÉTORIQUE DES JÉS...

Père indigne,
Je m'étonne qu'une bûche comme vous, qui semblez
avec votre habit n'être devenu qu'un grand charbon,
n'ait encore pu rougir du feu que vous jetez. Songez au
moins quand le Diable vous agite contre moi, que le
salpêtre n'est pas cher, que ma main est assez proche
de ma tête, et que jusqu'à présent, votre seule faiblesse
et ma générosité vous ont garanti; quoiqu'un pou

soit méprisable, on s'en délivre quand il est incommode; ne me contraignez donc pas à me souvenir que vous êtes au monde. J'ay aussi à vous prier de ne me plus faire la matière de vos catéchismes privés, mon nom remplit mal une période, et votre révérence carrée la pourrait mieux fermer! Vous faites le César quand vous voyez gémir, sous un sceptre de bois, votre petite République; mais prenez garde que votre insolence ne fasse naître un Brutus; car quoique vous soyez l'espace de quatre heures sur la tête des Empereurs, vous en êtes vingt sous les pieds de la populace et votre Monarchie n'est point si forte qu'un coup de cloche ne la détruise deux fois par jour! Contentez-vous de faire échouer l'esprit de la jeunesse de Paris contre les bancs de votre classe, sans vouloir régenter celui qui ne reconnaît l'empire ni du Monet ni du « Thesaurus ». Cependant, vous me heurtez à corne émoulue, vous récitez au premier venu vos jeunes friponneries sous mon nom; mais sachez qu'elles sont assez criminelles pour être obligé de les confesser autrement que par procureur. Ceux qui vous veulent excuser disent que la Nature est plus coupable de vos fautes que vous-même; qu'elle vous a fait naître d'un pays où la bêtise est le premier patrimoine, et d'une race dont les sept péchés mortels ont composé l'Histoire. Véritablement après cela, j'ai tort de me fâcher que vous m'imposiez les imaginations impies et débordées de votre maison, puisque vous êtes en âge de donner votre bien, vous preniez même tant de part aux offenses publiques, et vous êtes quelquefois si transporté de joie en supputant les débordés du siècle que vous oubliez jusqu'à votre nom. Personne ne m'a dit ni ceci, ni cela, ni vos bons tours avec Mademoiselle D..., mais vous ébahissez-vous que je les sache? Vous qui beuglez si haut dans votre trône, que vous vous faites entendre d'Orient jusqu'en Occident, et puis, j'attendais du repos après la mort, aujourd'hui qu'un homme qui n'est plus au monde vient même troubler la paix des vivants. Je vous conseille toutefois, Maître picard, de changer désormais de texte à vos Harangues, car je ne veux plus ni vous voir, ni vous ouïr, ni vous écrire. Et la raison, c'est que Dieu, qui possible est aux termes de me remettre mes crimes, ne me pardonnerait pas celui d'avoir eu affaire à une bête. Adieu donc, votre Serviteur.

## DESCRIPTION D'UN CYPRÈS

Monsieur,

J'avais envie de vous envoyer la description d'un Cyprès, mais je ne l'ai qu'ébauchée, à cause qu'il est si pointu que l'esprit même ne saurait s'y asseoir; sa couleur et sa figure me font souvenir d'un lézard renversé, qui pique le Ciel en mordant la terre. Si entre les arbres il y a, comme entre les hommes, différence de métiers, à voir celui-ci chargé d'alènes au lieu de feuilles, je crois qu'il est le cordonnier [du soir-soit?]. Je n'ose quasi pas même approcher mon imagination de ses aiguilles, de peur de me piquer de trop écrire; de vingt mille lances il n'en fait qu'une sans les unir; on dirait d'une flèche que l'Univers révolté darde contre le Ciel, ou d'un grand clou dont la Nature attache l'empire des vivants à celui des morts. Cet obélisque, cet arbre dragon, dont la queue est à la tête, me semble une pyramide bien plus commode que celle de Mausolée; car au lieu qu'on portait les trépassés dans celle-là, on porte celle-ci à l'enterrement des trépassés. Mais je profane l'aventure du jeune Cyparisse, les amours d'Apollon, de lui faire jouer des personnages indignes de lui dans le monument; ce pauvre métamorphosé se souvient encore du Soleil, il crève sa sépulture et s'aiguise en montant afin de percer le Ciel pour se joindre plus tôt à son ami; il y serait déjà sans la terre, sa mère, qui le retient par le pied. Phœbus en fait, en récompense, un de ses végétaux à qui toutes les saisons portent respect. Les chaleurs de l'été n'osent l'incommoder comme étant l'ami de leur maître; les gelées de l'hiver l'appréhendent comme la chose du monde la plus funeste; de·sorte que sans couronner le front des Amants ni des Vainqueurs, il n'est non plus obligé que le laurier ou le myrte de se décoiffer quand l'année lui dit adieu; les Anciens mêmes qui connaissaient cet arbre pour le siège de la Parque, le traînaient aux funérailles, afin d'intimider la mort par la crainte de perdre ses meubles. Voilà ce que je vous puis mander du tronc et des bras de cet arbre : je voudrais bien achever par le sommet, afin de finir par une pointe; mais je suis si malheureux, que je ne verrais pas de l'eau dans la mer. Je suis dessus une pointe, et je n'en puis trouver à cause pos-

sible qu'elle m'a crevé les yeux. Considérez, je vous
prie, comme pour échapper à ma pensée, elle s'anéantit
en se formant, elle diminue à force de croître, et je dirais
que c'est une rivière fixe qui coule dans l'air, si elle ne
s'étrécissait à mesure qu'elle chemine, et s'il n'était plus
probable de penser que c'est une pique allumée dont la
flamme est verte. Ainsi je force le Cyprès, cet arbre fatal
ne se plaît qu'à l'ombre des tombeaux, de représenter
du feu, car c'est bien la raison qu'il soit au moins une
fois de bon présage, et que, par lui, je me souvienne tous
les jours quand je le verrai qu'il a été cause, en me donnant matière d'une lettre, que j'ai eu l'honneur de
me dire, pour finir,

Monsieur, votre Serviteur.

SUR UNE ÉNIGME QUE L'AUTEUR ENVOYAIT<br>A MONSIEUR DE ***

Monsieur,
Pour reconnaître le présent dont m'enrichit ces jours
passés votre belle énigme, j'ai cru être obligé de m'ac-
quitter avec vous par une autre semblable, je dis semblable, à l'égard du nom d'énigme qu'elle porte : car
quand à la sublimité du caractère de la vôtre, je reconnais
le mien si fort au-dessous, que je serais un téméraire
d'oser suivre son vol seulement des yeux de la pensée.
Si pourtant elle est assez heureuse pour se voir reçue en
qualité de suivante auprès de la vôtre, son père sera
trop honoré. Je vous avoue qu'elle est en impatience de
vous entretenir : si donc votre bonté lui veut accorder
cette grâce, vous n'avez qu'à continuer la lecture de
cette lettre.

ÉNIGME SUR LE SOMMEIL

Je naquis neuf cents ans auparavant ma Sœur, et toutefois elle passe pour mon aînée; je crois que sa laideur
et sa difformité sont cause de cette méprise. Il n'y a
personne qui n'abhorre sa compagnie et sa conversa-
tion; il ne sort jamais de sa bouche une bonne nouvelle;
et quoiqu'elle ait plus d'autels sur la Terre qu'aucune
des autres Divinités, elle ne reçoit point de sacrifices

agréables que les vœux des désespérés. Mais moi qui charme tout ce que j'approche, je ne passe aucun jour sans voir tomber à mes pieds ce qui respire dans l'air, sur la mer et sur la terre. Je trouve mon berceau dans le cercueil du Soleil, et dedans mon cercueil le Soleil trouve son berceau. Ce que l'homme a jamais vu de plus aimable et de plus parfait se forma le premier jour de mon règne. La Nature a fondé mon trône et dressé ma couche au sommet d'un palais superbe, dont elle a soin, quand je repose, de tenir la porte fermée; et l'ouvrage de cet édifice est élaboré avec tant d'art, que personne jamais n'a connu l'ordre et la symétrie de son Architecture. Enfin je fais ma demeure au centre d'un labyrinthe inexplicable, où la raison du sage et du fol, du savant et de l'idiot, s'égare de compagnie. Je n'ai point d'hôte que mon père; et quoiqu'il soit pourvu de facultés beaucoup plus raisonnables que ne sont les miennes, je le fais pourtant marcher où je veux, et je dispose de sa conduite; cependant, j'ai beau le tromper, peu d'heures le désabusent si clairement, qu'il se promet (quoiqu'en vain) de ne se plus fier à mes mensonges; car j'attache aux fers, malgré lui, les cinq Esclaves qui le servent; aussitôt qu'ils sont fatigués, je les contrains bon gré mal gré de s'abandonner à mes caprices. Ce n'est pas qu'il n'essaye de fuir ma rencontre; mais je me cache pour le guetter en des lieux si noirs et si sombres, qu'il ne manque jamais de tomber dans mon embûche : il se rend aussitôt à la force du caractère dont ma divinité l'étonne, en sorte qu'il n'a plus d'yeux que pour moi. Ce n'est pas que je n'aie d'autres puissants adversaires, entre lesquels le plus considérable est l'ennemi juré du silence, qui m'aurait déjà plusieurs fois chassé des confins de son Etat, si la plus grande partie de ses sujets, ne s'étaient en ma faveur révoltés contre lui. Et ces Révoltés-là, que la cause de la raison soulève contre leur Tyran, sont les mieux réglés, et les seuls qui vivent sous une juste harmonie. Ils protègent mon innocence, font taire les vacarmes et les clameurs qui conspirent à ma ruine, m'introduisent peu à peu dans leur royaume, et à la fin m'aident eux-mêmes, sans y penser, à m'en rendre le Maître. Mais je pousse mes conquêtes encore bien plus loin; je partage, avec le Dieu du jour, l'étendue et la durée de son empire : que si la moitié que je possède n'est pas la plus éclatante, elle est au moins la plus douce et plus tranquille. J'ai encore au-dessus de lui cet

avantage que j'empiète, quand bon me semble, sur ses
terres, et qu'il ne peut empiéter sur les miennes. L'Astre,
dont l'Univers est éclairé, ne descend point de l'horizon, que je n'attache au joug de mon char la moitié du
Genre humain. Je suscite et je conserve le trouble parmi
les peuples, pour les maintenir en repos. Ils n'ont
garde qu'ils ne m'aiment, car je les traite tous selon leurs
humeurs. Les gais, je les mène aux festins, aux prome-
nades, aux bals, à la comédie et à tous les autres spectacles
de divertissements ; les colériques, je les mène à la guerre,
je les poste à la tête d'une puissante Armée, leur fais
ouvrir trente escadrons à coups d'épée, gagner des
batailles, et prendre des Rois prisonniers ; pour les mélan-
coliques, je les enfonce aux plus noires horreurs d'une
solitude épouvantable ; je les monte aux faîtes de
cent rochers affreux et inaccessibles, pour faire paraître
à leur vue les abîmes encore plus profonds. Enfin, j'ac-
corde à toutes sortes de gens des occupations de leur
goût. Je comble de biens les plus misérables, et quelquefois, en dépit de la Fortune, je prends plaisir à précipiter ses mignons jusqu'au plus bas de sa roue. J'élève
aussi, quand il me plaît, un coquin sur le trône, comme
autrefois j'ai prostitué une Impératrice Romaine aux
embrassements d'un cuisinier. C'est moi qui, de peur
que les amants ne s'aillent vanter de leurs bonnes for-
tunes, ai soin de leur clore les yeux, avant qu'ils soient
aux ruelles. C'est aussi par mon art qu'on vole sans
plumes, qu'on marche sans mouvoir les pieds ; et c'est
moi seul enfin par qui l'on meurt sans perdre la vie. Je
passe la moitié du temps à réparer l'embonpoint ; je reco-
lore les joues, et je fais épanouir sur les visages et la rose
et le lis. Je suis deux choses ensemble bien dissemblables,
le truchement des Dieux et l'interprète des Sots. Quand
on me voit de près, on ne sait qui je suis, et l'on ne commence à me connaître qu'alors qu'on m'a perdu de vue ;
l'aigle qui regarde le Soleil fixement, cille la paupière
devant moi. Je ne sais pas si parmi mes ancêtres, on a
compté quelque lion, mais à la campagne le chant du
coq me met en fuite ; et à parler franchement, j'ai de la
peine moi-même à vous expliquer mon être, à moins que
vous vous figuriez que ce que fait faire à son sabot un
petit garçon quand il le fouette, je le fais faire à tout le
monde.

   Hé ! bien, Monsieur, c'est là parler bien clair, et si je
gage que vous n'y entendez goutte. Oh ! bien, sur ma

foi, je ne vous l'expliquerai pas, à moins que vous me le
commandiez; car, en ce cas-là, je vous confesserai ingé-
nument que le mot que vous cherchez est le « Sommeil »,
et je ne saurais m'en défendre, car je suis et je serai toute
ma vie, Monsieur, votre très obéissant.

## POUR LES SORCIERS

Monsieur,
  Il m'est arrivé une si étrange aventure depuis que je
n'ai eu l'honneur de vous voir que pour y ajouter foi, il
en faut avoir beaucoup plus que ce personnage qui par
la force de la sienne transporta des Montagnes. Afin
donc de commencer mon histoire, vous saurez qu'hier lassé
sur mon lit de l'attention que j'avais prêtée à ce sot livre
que vous m'aviez autrefois tant vanté, je sortis à la promenade pour dissiper les sombres et ridicules imaginations dont le noir galimatias de sa science m'avait rempli,
et comme je m'efforçais à déprendre ma pensée de la
mémoire de ses contes obscurs, m'étant enfoncé dans
votre petit bois après un quart d'heure, ce me semble
de chemin : j'aperçus un manche de balai qui se vint
mettre entre mes jambes et à califourchon, bon-gré malgré que j'en eusse et je me sentis envoler par le vague
l'air; or sans me souvenir de la route de mon enlèvement,
je me trouvai sur mes pieds au milieu d'un désert où
ne se rencontrait aucun sentier; je repassai cent fois sur
mes brisées; mais cette solitude m'était un nouveau
monde, je résolus de pénétrer plus loin, mais sans apercevoir aucun obstacle j'avais beau pousser contre l'air,
mes efforts ne me faisaient rencontrer partout que l'im-
possibilité de passer outre : à la fin fort harassé, je tombais sur mes genoux, et ce qui m'étonna davantage, ce
fut d'avoir passé en un moment de midi à minuit, je
voyais les étoiles luire au Ciel avec un feu bleutant, la
Lune était en son plein, mais beaucoup plus pâle qu'à
l'ordinaire; elle éclipsa trois fois et trois fois dévala de
son cercle, les vents étaient paralytiques, les fontaines
étaient muettes, les oiseaux avaient oublié leur ramage,
les poissons se croyaient enchâssés dans du verre, tous
les animaux n'avaient de mouvement que ce qui leur en
fallait pour trembler, l'horreur d'un silence effroyable,
qui régnait partout, et partout la Nature semblait

être en suspens de quelque grande aventure, je
mettais ma frayeur à celle dont la face de l'Horizon paraissait agitée; quand au clair de la Lune, je vis sortir du
fond d'une caverne un grand et vénérable vieillard vêtu
de blanc, le visage basané, les sourcils touffus et relevés,
l'œil effrayant, la barbe renversée par-dessus les épaules,
il avait sur la tête un chapeau de verveine et sur le dos une
ceinture tissue de fougère de mai, faite en tresses. A
l'endroit du cœur, était attachée sur sa robe une chauve-
souris à demi morte, et autour du col un carcan, chargé de
sept différentes pierres précieuses dont chacune portait le
caractère du planète qui le dominait. Ainsi mystérieuse-
ment habillé, portant à la main gauche un vase fait en
triangle plein de rosée, et de la droite une houssine de
sureau en feu, dont l'un des bouts étant ferré d'un mélange
de tous les métaux; l'autre servait de manche à un petit
encensoir : il baisa le pied de sa grotte, puis après s'être
déchaussé, et arraché en grommelant certains mots du
creux de la poitrine, il aborda le couvert d'un vieux chêne
à reculons, à quatre pas duquel il creusa trois cernes l'un
dans l'autre et la terre obéissante aux ordres du Negro-
mantien, prenait elle-même en frémissant les figures qu'il
voulait y tracer. Il y grava les noms des intelligences, tant
du siècle que de l'année, de la saison, du mois, de la
semaine, du jour, et de l'heure, de même ceux de leurs
Rois, avec leurs chiffres différents chacun en sa place
propre et les encensa tous chacun avec leurs cérémonies
particulières. Ceci achevé il posa son vase au milieu des
cercles, le découvrit, mit le bout pointu de sa baguette
entre ses dents, se coucha la face tournée vers l'orient, et
puis il s'endormit. Environ au milieu de son sommeil,
j'aperçus tomber dans le vase, cinq graines de fougère. Il
les prit toutes quand il fut éveillé, en mit deux dans ses
oreilles, une dans la bouche, l'autre qu'il replongea dans
l'eau, et la cinquième il la jeta hors des cercles : mais à
peine celle-là fut-elle partie de sa main, que je le vis
environné de plus d'un million d'animaux, de mauvais
augure, tant d'insectes que de parfaits : il toucha de sa
baguette un chat-huant, un renard et une taupe, qui aussitôt entrèrent dans les cernes, en jettant un formidable cri.
Avec un couteau d'airain, il leur fendit l'estomac, puis
leur ayant arraché le cœur, et enveloppé chacun dans
trois feuilles de laurier, il les avala. Il sépara le foie, qu'il
épreignit dans un vaisseau de figure hexagone, cela fini
il recommença les suffumigations. Il mêla la rosée, et le

sang dans un bassin, y trempa un gant de parchemin
vierge, qu'il mit à sa main droite, et après quatre ou
cinq hurlements horribles, il ferma les yeux, et commença
les invocations.

Il ne remuait presque point les lèvres, j'entendais
néanmoins dans sa gorge, un brouissement comme de
plusieurs voix entremêlées. Il fut élevé de terre, à la
hauteur d'une palme, et de fois à d'autre, il attachait fort
attentivement la vue, sur l'ongle indice de sa main gauche.
Il avait le visage enflambé, et se tourmentait fort. Ensuite
de plusieurs contorsions épouvantables, il chut en gémissant sur ses genoux; mais aussitôt qu'il eut articulé
trois paroles, d'une certaine oraison, devenu plus fort
qu'un homme, il soutint sans vaciller, les monstrueuses
secousses d'un vent épouvantable, qui soufflait contre
lui. Tantôt par bouffées, tantôt par tourbillons, ce vent,
semblait tâcher à le faire sortir des cernes. Après ce signe,
les trois ronds tournèrent sous lui. Cet autre, fut suivi
d'une grêle rouge comme du sang, et celui-ci, fit encore
place à un quatrième, beaucoup plus effroyable. C'était
un torrent de feu, qui brouissait en tournant, et se divi-
sait par globes, dont chacun se fendait en éclats, avec un
grand coup de tonnerre.

Il fut le dernier, car une belle lumière blanche et claire
dissipa ces tristes météores. Tout au milieu, parut un
jeune homme, la jambe droite sur un aigle, l'autre sur
un lynx, qui donna au magicien trois fioles, pleines de je
ne sais quelle liqueur. Le magicien lui présenta trois
cheveux, l'un pris au-devant de sa tête, les deux autres
aux tempes, il fut frappé sur l'épaule d'un petit bâton,
que tenait le fantôme, et puis tout disparut. Ce fut alors
que les étoiles blêmies, à la venue du soleil, s'unirent à la
couleur des Cieux. Je m'allais remettre en chemin pour
trouver mon village, mais sur ces entrefaites, le sorcier
m'ayant envisagé, s'approcha du lieu où j'étais. Encore
qu'il cheminât à pas lents, il fut plutôt à moi, que je ne
l'aperçus bouger. Il étendit sous ma main, une main si
froide, que la mienne en demeura fort longtemps engour-
die. Il n'ouvrit ni la bouche ni les yeux, et dans ce pro-
fond silence, il me conduisit à travers des masures, sous
les effroyables ruines d'un vieux château deshabité, où
les siècles, depuis mille ans, travaillaient à mettre les
chambres dans les caves.

Aussitôt que nous fûmes entrés, vante-toi, me dit-il
(en se tournant vers moi) d'avoir contemplé face à face

le Sorcier Agrippa, et dont l'âme, (par métempsycose,)
est celle, qui jadis animait le savant Zoroastre, Prince
des Bactriens. Depuis près d'un siècle, que je disparus
d'entre les hommes, je me conserve ici par le moyen de
l'or potable, dans une santé, qu'aucune maladie n'a
jamais interrompue. De vingt ans, en vingt ans, j'avale
une prise de cette médecine universelle, qui me rajeunit,
restituant à mon corps, ce qu'il a perdu de ses forces. Si
tu as considéré trois fioles, que m'a présentées le Roi des
Démons ignés, la première en est pleine, la seconde de
poudre de projection, et la troisième d'huile de tale. Au
reste tu m'es bien obligé, puisque entre tous les mortels
je t'ai choisi, pour assister à des mystères, que je ne
célèbre qu'une fois en vingt ans. C'est par mes charmes,
que sont envoyées quand il me plaît, les stérilités ou les
abondances. Je suscite les guerres, en les allumant entre
les Génies, qui gouvernent les Rois. J'enseigne aux bergers la patenôtre du loup. J'apprends aux Devins la
façon de tourner le sas. Je fais courir les ardants, sur les
marais, et sur les fleuves, pour noyer les voyageurs.
J'excite les Fées à danser au clair de la Lune. Je pousse
les joueurs à chercher le trèfle à quatre sous les gibets.
J'envoie à minuit, les esprits hors du cimetière, entortillés
d'un drap, demander à leurs héritiers l'accomplissement
des vœux, qu'ils ont faits à la mort, je commande aux
démons d'habiter les châteaux abandonnés, d'égorger
les passants qui y viendront loger, jusqu'à ce que quelque
résolu les contraigne de lui montrer le trésor. Je fais
trouver des mains de gloire aux misérables, que je veux
enrichir. Je fais brûler aux voleurs des chandelles de
graisse de pendu, pour endormir les hôtes, pendant qu'ils
exécutent leur vol. Je donne la pistole volante, qui vient
ressauter dans la pochette, quand on l'a employée. Je
donne aux laquais ces bagues, qui les font aller et revenir
de Paris à Orléans en un jour. Je fais tout renverser, dans
une maison par des esprits follets, qui font culbuter les
bouteilles, les verres, les plats, quoique rien ne se casse,
ni ne se répande, et qu'on ne voie personne. Je montre
aux vieilles à guérir la fièvre avec des paroles. Je recueille
les villageois la veille de S. Jean, pour cueillir son herbe
à jeûn et sans parler. J'enseigne aux sorciers à devenir
loups garous, je les force à manger les enfants sur le
chemin, et puis les abandonne quand quelque cavalier,
leur coupant une patte, (qui se trouve la main d'un
homme,) ils sont reconnus et mis au pouvoir de la Jus-

tice. J'envoie aux personnes affligées un grand homme
noir, qui leur promet de les faire riches, s'ils se veulent
donner à lui. J'aveugle ceux qui prennent des cédules,
en sorte que quand ils demandent 30 ans de terme, je leur
fais voir le trois devant l'o, que j'ai mis après, je tords le
col à ceux qui lisant dans le grimoire, sans le savoir, me
font venir, et ne me donnent rien. Je m'en retourne paisiblement d'avec ceux qui m'ayant appelé me donnent
seulement une savate, un cheveu, ou une paille. J'emporte
des églises qu'on dédie, les pierres qui n'ont pas été
payées. Je ne fais paraître aux personnes en nuitées qui
rencontrent les sorciers allant au sabbat qu'une troupe de
chats, dont le prince est Marcou. J'envoie tous les confé-
dérés à l'offrande, et leur présente à baiser le cul du bouc,
assis dessus une escabelle. Je les traite splendidement,
mais avec des viandes sans sel. Je fais tout évanouir si
quelque étranger ignorant des coutumes, fait la bénédiction ; et je le laisse dans un désert, au milieu des épines,
à trois cents lieues de son pays. Je fais trouver dans le
lit des ribauds, aux femmes des incubes, aux hommes des
succubes. J'envoie dormir le cauchemar, en forme d'une
longue pièce de marbre, avec ceux qui ne se sont pas
signés en se couchant ; j'enseigne aux Negromatiens à
se défaire de leurs ennemis, faisant une image de cire, et
la piquant ou la jetant au feu faire sentir à l'original ce
qu'ils font souffrir à la copie. J'ôte sur les sorciers le
sentiment, aux endroits, où le bélier les a marqués de
son sceau. J'imprime une vertu secrète à *nolite fieri*,
quand il est récité à rebours, qui empêche que le beurre
ne se fasse. J'instruis les paysans à mettre sous le seuil de
la bergerie qu'ils veulent ruiner, une toupe de cheveux,
ou un crapaud, avec trois maudissons, pour faire mourir
étiques les moutons qui passent dessus ; je montre aux
bergers à nouer l'aiguillette, le jour des noces, lorsque le
prêtre dit *conjungo vos ;* je donne de l'argent qui se trouve
après des feuilles de chêne, je prête aux magiciens un
démon familier qui les accompagne, et leur défends de
rien entreprendre sans le congé de Maître Martinet. J'enseigne pour rompre le sort, d'une personne charmée, de
faire pétrir le gâteau triangulaire de Saint Loup, et le
donner par aumône, au premier pauvre qu'il trouvera.
Je guéris les malades du loup-garou leur donnant un coup
de fourche justement entre les deux yeux, je fais sentir
les coups aux sorciers pourvu qu'on les batte, avec un
bâton de sureau. Je délie le moins bourru, aux Avents

de Noël, lui commande de rouler comme un tonneau ou
traîner à minuit les chaînes dans les rues, afin de tordre
le col, à ceux qui mettront la tête aux fenêtres, j'enseigne
la composition des brevets, des sorts, des charmes, des
sigilles, des talismans, des miroirs magiques, et des
figures constellées. Je leur apprends à trouver le gui de
l'an neuf, l'herbe de fourvoiement, les gamahez, l'em-
plâtre magnétique, j'envoie le gobelin, la mule ferrée,
le filourdi, le roi hugon, le connétable, les hommes noirs,
les femmes blanches, les lémures, les farfadets, les larves,
les lamies, les ombres, les mânes, les spectres, les fantômes, enfin je suis le diable de Vauvert, le Juif errant, et
le grand veneur de la forêt de Fontainebleau. Avec ces
dernières paroles le magicien disparut, les couleurs des
objets s'éloignèrent, qu'une large et noire fumée, couvrit
la face du climat, et je me trouvais sur mon lit, le cœur
encore palpitant, et le corps tout froissé du travail de
l'âme. Mais avec une si grande lassitude qu'alors que je
m'en souviens, je ne crois pas avoir la force d'écrire au
bas de ma lettre, je suis, Monsieur.

## CONTRE LES SORCIERS

Monsieur,
En bonne foi, ma dernière lettre ne vous a-t-elle point
épouvanté ? Quoi que vous en disiez, je pense que le
grand homme noir aura pu faire quelque émotion, sinon
dans votre âme, au moins dans quelqu'un de vos sens.
Voilà ce que c'est de m'avoir autrefois, voulu faire peur
des esprits, ils ont eu leur revanche, et je me suis vengé
malicieusement de l'importunité, dont tant de fois vous
m'aviez persécuté de reconnaître les vérités de la magie.
Je suis pourtant fâché de la fièvre qu'on m'a écrit, que
cet horrible tableau vous a causé; mais pour effacer ma
faute, je le veux effacer à son tour et vous faire voir sur
la même toile, la tromperie de ses couleurs, de ses traits
et de ses ombres. Imaginez-vous donc qu'encore que
par tout le monde on ai tant brûlé de sorciers, convaincus
d'avoir fait pacte avec le diable, que tant de misérables
ait avoué sur le bûcher d'avoir été au sabbat, et que même
quelques-uns dans l'interrogation aient confessé aux juges
qu'ils avaient mangé à leurs festins des enfants qu'on a
depuis la mort des condamnés, trouvés plein de vie et

qui ne savaient ce qu'on leur voulait dire, quand on leur en parlait, on ne doit pas croire toutes choses d'un homme, parce qu'un homme peut dire toutes choses, car quand même par une permission particulière de Dieu, une âme pourrait revenir sur la terre demander à quelqu'un le secours de ses prières, est-ce à dire que des esprits ou des intelligences, s'il y en a, soient si badines que de s'obliger aux quintes écervelées d'un villageois ignorant, s'apparaître à chaque bout de champ, selon que l'humeur noire sera plus ou moins forte dans la tête mal timbrée d'un ridicule berger, venir au leurre comme un faucon, sur le poing du giboyeur qui le réclame, et selon le caprice de ce maraud danser la guimbarde, ou les matassins. Non je ne crois point de sorciers encore que plusieurs grands personnages n'ait pas été de mon avis, et je ne déferre à l'autorité de personne, si elle n'est accompagnée de raison, ou si elle ne vient de Dieu. Dieu qui tout seul doit être cru de ce qu'il dit à cause qu'il le dit. Ni le nom d'Aristote plus savant que moi, ni celui de Platon, ni celui de Socrate ne me persuadent point si mon jugement n'est convaincu par raison de ce qu'ils disent : la raison seule est ma reine, à qui je donne volontairement les mains, et puis je sais par expériences que les esprits les plus sublimes ont chopé le plus lourdement, comme ils tombent de plus haut, ils font de plus grandes chutes, enfin nos pères se sont trompés jadis, leurs neveux se trompent maintenant; les nôtres se tromperont quelque jour ? N'embrassons donc point une opinion, à cause que beaucoup la tiennent, ou parce que c'est la pensée d'un grand philosophe; mais seulement à cause que nous voyons plus d'apparence qu'il soit ainsi que d'être autrement. Pour moi je me moque des pédants qui n'ont point de plus forts arguments pour prouver ce qu'ils disent, sinon d'alléguer que c'est une maxime : comme si leurs maximes étaient bien plus certaines que leurs autres propositions; je les en croirais pourtant s'ils me montrent une philosophie, dont les principes ne puissent être révoqués en doute, desquels toute la nature soit d'accord, ou qui nous aient été révélés d'en haut, autrement je m'en moque, car il est aisé de prouver tout ce qu'on veut quand on ajuste les principes aux opinions, et non pas les opinions aux principes. Outre cela quand il serait juste de déférer à l'autorité de ces grands hommes; et quand je serais contraint d'avouer que les premiers philosophes ont établi ces principes, je les forcerais bien d'avouer à

leur tour que ces anciens là, non plus que nous, n'ont pas
toujours écrit ce qu'ils ont cru : souvent les Lois et la
Religion de leur pays les a contraint d'accommoder leurs
préceptes à l'intérêt, et au besoin de la politique. C'est
pourquoi on ne doit croire d'un homme que ce qui est
humain, c'est-à-dire possible et ordinaire, enfin je n'ad-
mets point de sorciers à moins qu'on me le prouve. Si
quelqu'un par des raisonnements plus forts et plus pres-
sants que les miens, me le peut démontrer, ne doutez
point que je ne lui dise, soyez Monsieur le bienvenu,
c'est vous que j'attendais, je renonce à mes opinions, et
j'embrasse les vôtres, autrement qu'aurait l'habile par
dessus le sot, s'il pensait ce que pense le sot, il doit
suffire au peuple qu'une grande âme fasse semblant
d'acquiescer aux sentiments du plus grand nombre, pour
ne pas résister au torrent, sans entreprendre de donner
des menottes à sa raison : au contraire un philosophe
doit juger le vulgaire, et non pas juger comme le vulgaire.
Je ne suis point pourtant si déraisonnable qu'après m'être
soustrait à la tyrannie de l'autorité, je veuille établir la
mienne sans preuve, c'est pourquoi vous trouverez bon
que je vous apprenne les motifs que j'ai eus de douter de
tant d'effets étranges qu'on raconte des esprits, il me
semble avoir observé beaucoup de choses bien considérables pour mc débarrasser de cette chimère. Premièrement, on ne m'a quasi jamais récité aucune histoire de
sorciers, que je n'ai pris garde qu'elle était ordinairement
arrivée à trois ou quatre cents lieues de là. Cet éloigne-
ment me fit soupçonner, qu'on avait voulu dérober aux
curieux, l'envie et le pouvoir de s'en informer. Joignez à
cela, que cette bande d'hommes habillés en chats, trouvés
au milieu d'une campagne, sans témoins, la foi d'une
personne seule, doit être suspecte en chose si miraculeuse,
près d'un village, il en a été plus facile de tromper des
idiots. C'était une pauvre vieille, elle était pauvre la
nécessité la put contraindre à mentir pour de l'argent. Elle
était vieille, l'âge affaiblit la raison, l'âge rend babillard :
elle a inventé ce conte pour entretenir ses voisines ; l'âge
affaiblit la vue, elle a pris un lièvre pour un chat. L'âge
rend timide : elle en a cru voir cinquante au lieu d'un.
Car enfin il est plus facile, qu'une de ces choses soit
arrivée, qu'on voit tous les jours arriver qu'une aventure
surnaturelle, sans raison et sans exemple. Mais de grâce
examinons ces sorciers pris.

Vous trouverez que c'est un paysan fort grossier, qui

n'a pas l'esprit de se démêler des filets dont on l'embarrasse, à qui la grandeur du péril assomme l'entendement en telle sorte, qu'il n'a plus l'âme assez présente, pour se justifier, qui n'oserait même répondre pertinemment, de peur de donner à conclure aux préoccupés, que c'est le diable qui parle par sa bouche. Si cependant il ne dit mot, chacun crie qu'il est convaincu de sa conscience, et aussitôt le voilà jeté au feu. Mais le diable est-il si fou, lui qui a bien pu autrefois le changer en chat, de ne le pas maintenant changer en mouche, afin qu'il s'envole ? Les sorciers (disent-ils) n'ont aucune puissance, dès qu'ils sont entre les mains de la justice. O par ma foi, cela est bien trouvé; donc M$^e$ Jean Guillot, de qui le père a volé les biens de son pupille, s'est acquis par le moyen de 20 000 écus dérobés, qui lui coûta son office de juge, le pouvoir de commander aux diables, vraiment les diables portent grand respect aux larrons. Mais ces diables au moins devaient éloigner ce pauvre malheureux leur très humble serviteur, quand ils surent qu'on était en campagne pour le prendre. Car ce n'est pas donner courage à personne de le servir, d'abandonner ainsi les siens; pour des natures qui ne sont qu'esprit, elles font de grands pas de clerc. J'ai aussi remarqué, que tous ces magiciens prétendus sont gueux comme des Diogènes. O Ciel est-il donc vraisemblable, qu'un homme qui s'exposa à brûler éternellement, sous l'espérance de demeurer pauvre, haï, affamé, et en crainte continuelle de se voir griller en place publique; Satan lui donnerait, non des feuilles de chêne, mais des pistoles de poids, pour acheter des Charges, qui le mettraient à couvert de la Justice. Mais vous verrez, que les démons de ce temps-ci sont extrêmement niais, et qu'ils n'ont pas l'esprit d'imaginer tant de finesse : ce malotru berger, que vous tenez dans vos prisons, à la veille d'être bouilli, sur quelles convictions le condamnez-vous ? On l'a surpris récitant la patenôtre du loup ? Ah de grâce, qu'il la répète, vous n'y remarquerez, que de grandes sotises, et moins de mal, qu'il n'y en a dans une mort diable, pour laquelle cependant on ne fait mourir personne. Outre cela dit-on, il a ensorcelé des troupeaux ? ou ce fut par paroles, ou par la vertu cachée de quelques poisons naturels. Par paroles, je ne crois pas, que les vingt quatre lettres de l'alphabet, couvent dans la grammaire, la malignité occulte, d'un venin si présent ni que d'ouvrir la bouche, serrer les dents, appuyer la langue au palais, de telle ou telle façon,

ait la force d'empester les moutons, ou de les guérir.
Car si vous me répondez que c'est à cause du pacte : je
n'ai point encore lu dans la chronologie, le temps auquel
le diable accorda avec le genre humain, que quand on articulerait de certains mots qui doivent avoir été spécifiés
au contrat, il tuerait, qu'à d'autres il guérirait, et qu'à
d'autres il viendrait nous parler, et je veux qu'il en eut
passé le concordat, avec un particulier : ce particulier-là
n'aurait pas le consentement de tous les hommes pour
nous obliger à cet accord. A quelques syllabes toutefois,
qu'un lourdaud sans y penser aura proférées, il avolera
incontinent, pour l'effrayer et ne rendra pas la moindre
visite, à une personne puissante, dépravée, illustre, spirituelle, qui se donne à lui de tout son cœur, et qui par
son exemple, serait cause de la perte de cent mille âmes.
Vous m'avouerez peut-être, que les paroles magiques
n'ont aucun pouvoir, mais qu'elles couvrent sous des
mots barbares, la maligne vertu des simples, dont tous
les enchanteurs, empoisonnent le bétail. Hé bien pourquoi donc, ne les faites-vous mourir, en qualité d'empoi-
sonneurs et non pas de sorciers. Ils confessent (répliquez-
vous) d'avoir été au sabbat, d'avoir envoyé des diables
dans les corps de quelques personnes, qui en effet se
sont trouvées démoniaques. Pour les voyages du sabbat
voici ma créance, c'est qu'avec des huiles assoupissantes,
dont ils se graissent, comme alors qu'ils veillent, ils se
figurent être bientôt emportés à califourchon, sur un
balai par la cheminée, dans une salle où l'on doit festi-
ner, danser, faire l'amour, baiser le cul au bouc, l'imagination fortement frappée de ces fantômes, leur repré-
sentent dans le sommeil ces mêmes choses, comme un
balai entre les jambes, une campagne qu'ils passent en
volant, un bouc, un festin, des dames, c'est pourquoi
quand ils se réveillent, ils croient avoir vu ce qu'ils ont
songé. Quant à ce qui concerne la possession, je vous en
dirais aussi ma pensée, avec la même franchise. Je trouve
en premier lieu, qu'il se rencontre dix mille femmes
pour un homme. Le diable serait-il un ribaud, de chercher avec tant d'ardeur l'accouplement des femmes. Non
non mais j'en devine la cause, une femme a l'esprit plus
léger qu'un homme, et plus hardi par conséquent, à
résoudre des comédies de cette nature. Elle espère que
pour peu de latin qu'elle écorchera, pour peu qu'elle
fera de grimaces, de sauts, de cabrioles, et de postures,
on les croira toujours beaucoup au-dessus de la pudeur,

et de la force d'une fille et enfin elle pense être si forte : de sa faiblesse, que l'imposture étant découverte, on attribuera ses extravagances, à quelques suffocations de matrice, ou qu'au pis aller, on pardonnera à l'infirmité de son sexe. Vous répondrez peut-être que pour y en avoir de fourbes, cela ne conclut rien contre celles qui sont véritablement possédées. Mais si c'est là votre nœud gordien j'en serais bientôt l'Alexandre. Examinons-donc, sans qu'il nous importe de choquer les opinions du vulgaire s'il y a autrefois eu des démoniaques, et s'il y en a aujourd'hui. Qu'il y en ait eu autrefois, je n'en doute point, puisque les livres sacrés assurent qu'une Chaldéenne par art magique envoya un démon dans le cadavre du prophète Samuel, et le fit parler. Que David conjurait avec sa harpe, celui dont Saül était obsédé. Et que notre sauveur Jésus-Christ chassa les diables des corps de certains Hébreux, et les envoya dans des corps de pourceaux. Mais nous sommes obligés de croire, que l'empire du diable cessa, quand Dieu vint au monde. Que les oracles furent étouffés, sous le berceau du Messie, et que Satan perdit la parole en Bethléem, l'influence altérée de l'étoile des trois rois, lui ayant sans doute causé la pupie. C'est pourquoi je me moque de tous les énergumènes d'aujourd'hui et m'en moquerai jusqu'à ce que l'Eglise me commande de les croire. Car de m'imaginer, que cette pénitente de Goffridy; cette religieuse de Loudun, cette fille d'Evreux soient endiablées, parce qu'elles font des culbutes, des grimaces, et des gambades, Scaramouche, colle, et Cardelin les mettront à quia. Comment elles ne savent pas seulement parler latin. Lucifer a bien peu de soin de ses diables, de ne les pas envoyer au Collège. Quelques-unes répondent assez pertinemment ? quand l'Exorciste déclame une oraison de bréviaire, dont en quelque façon elles écorchent le sens, à force de le réciter, à moins de cela vous les voyez contrefaire les enragées, feindre à tout ce qu'on leur prêche, une distraction d'esprit perpétuelle; et cependant, j'en ai surpris d'attentives à guetter au passage quelque verset de leur office, pour répondre à propos, comme ceux qui veulent chanter à Vêpres, et ne les savent pas, attendent à l'affût le *Gloria Patri*, etc., pour s'y égosiller. Ce que je trouve encore de bien divertissant, sont les méprises où elles s'embarrassent quand il faut obéir ou n'obéir pas. Le conjurateur commandait à une de baiser la terre, toutes les fois qu'il articulerait le sacré nom de Dieu, ce diable d'obéissance, le

faisait fort dévotement ; mais comme il vint encore un coup
à lui ordonner la même chose en d'autres termes, que ceux
dont il usait ordinairement, (car il lui commanda par le fils
Co-éternel du Souverain Etre) ce novice démoniaque, qui
n'était pas théologien, demeura plat, rougit, et se jeta
aux injures : jusqu'à ce que l'exorciste l'ayant apaisé,
par des mots plus ordinaires, il se remit à raisonner.
J'observe outre cela, que selon que le prêtre haussait sa
voix, le diable augmentait sa colère, bien souvent à des
paroles de nul poids, à cause qu'il les avait prononcées
avec plus d'éclat. Et qu'au contraire, il avalait doux comme
lait, des exorcismes, qui faisaient trembler, à cause
qu'étant las de crier, il les avait prononcées d'une voix
basse. Mais ce fut bien pis, quelque temps après, quand
un abbé les conjura. Elles n'étaient point faites à son style,
et cela fut cause que celles, qui voulurent répondre, répondirent si fort à contre-sens, que ces pauvres diables, au
front de qui restait encore quelque pudeur, devinrent
tous honteux, et depuis en toute la journée, il ne fut pas
possible de tirer un méchant mot de leur bouche. Ils
crièrent à la vérité fort longtemps, qu'ils sentaient là des
incrédules : qu'à cause d'eux, ils ne voulaient rien faire
de miraculeux, de peur de les convertir. Mais la feinte
me sembla bien grossière ; car s'il était vrai, pourquoi les
avertir ? Ils devaient au contraire pour nous endurcir en
notre incrédulité, se cacher dans ces corps, et ne pas faire
des choses qui puissent nous désaveugler. Vous répondez, que Dieu les force à cela, pour manifester la foi.
Oui, mais je ne suis point convaincu, ni obligé de croire
que ce soit le diable qui fasse toutes ces singeries, puisqu'un homme les peut faire naturellement. De se contour-
ner le visage vers les épaules je l'ai vu pratiquer aux bohé-
miens. De sauter qui ne le fait point, hors les paralytiques.
De jurer, il ne s'en rencontre que trop. De marquer sur
la peau, certains caractères, ou des eaux, ou des pierres,
colorent sans prodige notre chair. Si les diables sont for-
cés, comme vous dites, de faire des miracles afin de nous
illuminer, qu'ils en fassent de convaincants, qu'ils
prennent les tours de Notre-Dame de Paris, où il y a
tant d'incrédules, et les portent sans fraction, dans la
campagne Saint-Denis danser une sarabande espagnole.
Alors nous serons convaincus. J'ai pris garde encore, que
le diable qu'on dit être si médisant, ne les induit jamais,
(au milieu de leurs grandes fougues) à médire l'une de
l'autre. Au contraire, elles s'entreportent un très grand

respect, et n'ont garde d'agir autrement parce que la première offensée découvrirait le mystère. Pourquoi, mon Révérend Père, n'instruit-on votre procès, en conséquence des crimes, dont le diable vous accuse ? Le diable (dites-vous) est père de mensonge, pourquoi donc l'autre jour fîtes-vous brûler ce magicien, qui ne fut accusé que par le diable. Car je réponds comme vous, le diable est père de mensonge. Avouez, avouez mon révérendissime que le diable dit vrai, ou faux, selon qu'il est utile à votre malicieuse paternité. Mais bons Dieux, je vois tressaillir ce diable quand on lui jette de l'eau bénite : est-ce donc une chose si sainte qu'il ne la puisse souffrir sans horreur ? Certes cela fait que je m'étonne qu'il ait osé s'enfermer dans un corps humain, que Dieu a fait à son image, capable de la vision du Très-Haut, reconnu son enfant, par la régénération baptismale, marqué des saintes huiles, le temple du Saint Esprit et le Tabernacle de la Sainte Hostie. Comment a-t-il eu l'impudence d'entrer en un lieu qui lui doit être bien plus vénérable que de l'eau, sur laquelle on a simplement récité quelques prières. Mais nous en aurons bonne issue, je vois le démoniaque qui se tempête fort à la vue d'une croix qu'on lui présente! O Monsieur l'Exorciste que vous êtes bon, ne savez-vous pas, qu'il n'y a aucun endroit dans la nature, où il n'y ait des croix, puisque par toute la matière, il y a longueur et largeur, et que la croix n'est autre chose qu'une longueur considérée avec une largeur. Qu'ainsi ne soit, cette croix que vous tenez n'est pas une croix, à cause qu'elle est d'ébène, cette autre n'est pas une croix à cause qu'elle est d'argent, mais l'une et l'autre sont des croix à cause que sur une longueur, on a mis une largeur qui la traverse. Si donc cette énergumène, a cent mille longueurs, et cent mille largeurs, qui sont toutes autant de croix, pourquoi lui en présenter de nouvelles ? Cependant vous voyez cette femme, qui pour avoir approché les lèvres par force, contrefait l'interdite. O quelle piperie! Prenez, prenez une bonne poignée de verges, et me la fouetter en ami. Car je vous engage ma parole, que si on condamnait d'être jetés à l'eau tous les énergumènes, que cent coups d'étrivières par jour n'auraient pu guérir, il ne s'en noierait point. Ce n'est pas comme je vous ai déjà dit, que je doute de la puissance du Créateur, sur ses créatures : mais à moins d'être convaincu par l'autorité de l'Eglise, à qui nous devons donner aveuglément les mains, je nommerais tous ces

grands effets de magie, la gazette des sots, ou le Credo
de ceux qui ont trop de foi. Je m'aperçois bien que ma
lettre est un peu trop longue, c'est le sujet qui m'a
poussé au-delà de mon dessein, mais vous pardonnerez
cette importunité à une personne qui fait vœu d'être
jusqu'à la mort de vous et de vos contes d'esprit, Monsieur, le serviteur très humble.

# TABLE DES MATIÈRES

# PUBLICATIONS NOUVELLES

**LAMARCK**
Philosophie zoologique (707).

**LEIBNIZ**
Système de la nature et de la communication des substances (774).

**LOCKE**
Lettre sur la tolérance et autres textes (686).

**LOPE DE VEGA**
Fuente Ovejuna (698).

**MALEBRANCHE**
Traité de morale (837).

**MARIVAUX**
Les Acteurs de bonne foi. La Dispute. L'Epreuve (166). La Fausse Suivante. L'Ecole des mères. La Mère confidente (612).

**MAUPASSANT**
Notre cœur (650). Boule de suif (584). Pierre et Jean (627). Bel-Ami (737). Une vie (738).

**MUSSET**
Confession d'un enfant du siècle (769).

**NERVAL**
Les Chimères - Les Filles du feu (782).

**NIETZSCHE**
Le Livre du philosophe (660). Ecce homo – Nietzsche contre Wagner (572). L'Antéchrist (753).

**PASTEUR**
Ecrits scientifiques et médicaux (825).

**PIRANDELLO**
Ce soir on improvise - Chacun son idée - Six personnages en quête d'auteur (744). Feu Mattia Pascal (735).

**PLATON**
Ménon (491). Phédon (489). Timée-Critias (618). Sophiste (687). Théétète (493). Parménide (688). Platon par lui-même (785).

**PLAUTE**
Théâtre (600).

**PLUTARQUE**
Vies parallèles, I (820).

**QUESNAY**
Physiocratie (655).

**RABELAIS**
Gargantua (751). Pantagruel (752). Tiers Livre (767). Quart Livre (766).

**RILKE**
Lettres à un jeune poète (787).

**RICARDO**
Des principes de l'économie politique et de l'impôt (663).

**ROUSSEAU**
Essai sur l'origine des langues et autres textes sur la musique (682).

**SHAKESPEARE**
Henry V (658). La Tempête (668). Beaucoup de bruit pour rien (670). Roméo et Juliette (669). La Mégère apprivoisée (743). Macbeth (771). La Nuit des rois (756). Hamlet (762).

**STEVENSON**
L'Ile au Trésor (593). Voyage avec un âne dans les Cévennes (601). Le Creux de la vague (679). Le Cas étrange du Dr Jekyll et M. Hyde (625).

**STRINDBERG**
Tschandala (575). Au bord de la vaste mer (677).

**TCHEKHOV**
La Steppe (714). Oncle Vania - Trois sœurs (807).

**TÉRENCE**
Théâtre (609).

**THOMAS D'AQUIN**
Contre Averroès (713).

**TITE-LIVE**
La Seconde Guerre Punique I (746). La Seconde Guerre Punique II (940).

**TOLSTOÏ**
Maître et serviteur (606).

**TWAIN**
Huckleberry Finn (700).

**VICO**
De l'antique sagesse de l'Italie (742).

**VILLIERS DE L'ISLE-ADAM**
L'Eve future (704).

**VILLON**
Poésies (741).

**VOLTAIRE**
Candide, Zadig, Micromégas (811).

**WAGNER**
La Walkyrie (816). L'Or du Rhin (817). Le Crépuscule des dieux (823). Siegfried (824).

**WHARTON**
Vieux New-York (614). Fièvre romaine (818).

**WILDE**
Salomé (649).

# GF – TEXTE INTÉGRAL – GF

96/09/55045-IX-1996 – Impr. MAURY Eurolivres SA, 45300 Manchecourt.
N° d'édition FG023211. – 2e trimestre 1970. – Printed in France.